sem filhos por opção
casais, solteiros e muitas razões para não ter filhos

sem filhos por opção
casais, solteiros e muitas razões para não ter filhos

Edson Fernandes e
Margareth Moura Lacerda

© nVersos, 2012

Capa: Julia Marçal
Projeto Gráfico: Julia Marçal
Editoração Eletrônica: Julia Marçal e Bruno de Oliveira Romão
Revisão Técnica: Maria G. Rios-Lima
Revisão Ortográfica: Rhamyra Toledo Peixoto e Mila Fernandes
Fotos: Laura Lessa

Dados Internacionais de Catalogação na Publicação (CIP)
(Câmara Brasileira do Livro, SP, Brasil)

Fernandes, Edson
Sem filhos por opção - casais, solteiros e muitas razões para não ter filhos / Edson Fernandes
São Paulo : nVersos, 2012.

Bibliografia
ISBN 978-85-64013-55-1

1. Casais - Psicologia 2. Casais - Tomada de decisão 3. Controle de natalidade 4. Paternidade - Tomada de decisão 5. Reprodução humana - Aspectos sociais I. Moura Lacerda, Margareth. II. Título.

12-04213   CDD-304.6

Índices para catálogo sistemático:

1. Casais sem filhos por opção : Sociologia
304.6

1ª edição – 2012

Esta obra contempla o
Novo Acordo Ortográfico da
Língua Portuguesa

Impresso no Brasil
Printed in Brazil

nVersos Editora
Av. Paulista, 949, 9º andar
01311-917 – São Paulo, SP
Tel.: (11) 3382-3036
www.nversos.com.br
nversos@nversos.com.br

dedicatória

Aos casais e solteiros
que optaram por não ter filhos.
À Mia, com saudades!

sumário

Apresentação 9

Prefácio
Regina Navarro Lins 15

Capítulo 1
Conquistando o direito de não ter filhos 23

Capítulo 2
Razões para não ter filhos 39

Capítulo 3
Era uma vez ter filhos na "família perfeita" 73

Capítulo 4
Mudanças nos papéis e nos valores da família 135

Capítulo 5
Cenário internacional: apertem os cintos, as crianças sumiram! 171

Posfácio
Maria G. Rios-Lima 187

Notas e citações 193

apresentação

APRESENTAÇÃO

Sempre imaginamos que o Brasil seria um eterno país de crianças e jovens. Mas, será verdade?

Se você soubesse que:

- Existem 17,1% de casais sem filhos no Brasil[1];
- 5 milhões de solteiros moram sozinhos[2];
- 13,7 milhões de mulheres não querem engravidar (14% das brasileiras)[3];
- Nasceram apenas 1,86 filhos para cada mulher; e
- Estamos abaixo da taxa de reposição mínima da população.

Você ficaria surpreso com essas informações?

Nós ficamos ao saber que contribuimos para a diminuição do nascimento de crianças no país e o aumento do número de casais sem filhos!

Somos um casal entre todos estes casais sem filhos. Não temos filhos por opção e, até a pouco tempo, não tínhamos noção de que havia tantos casais e solteiros nas mesmas condições que a nossa, sem filhos.

Quando nos conhecemos, perguntamos um para o outro: "Você quer filhos?"

Discutimos o assunto, até concluirmos que não. Gostamos de crianças, mas não queremos filhos.

Minha mulher, Margareth, é uma consultora de empresas em recursos humanos, viaja a trabalho e se preocupa com a estabilidade financeira. Eu, Edson, sou dedicado à vida acadêmica e busco também a estabilidade financeira, sendo que ambos valorizamos a individualidade e a liberdade.

Estamos casados há mais de sete anos, e desde o início da relação adotamos o controle por meio dos contraceptivos.

Quando pensamos em escrever sobre o tema "sem filhos por opção", sentimos que aquilo vinha ao encontro de uma decisão bem estabelecida sobre nossa vida, formada pelo casamento entre uma psicóloga e um professor universitário, que desejam ser felizes sem filhos.

Mesmo assim, foi uma decisão testada continuamente, como se ouvíssemos uma voz que sussurrava: "Procure no fundo do coração o motivo de vocês não quererem filhos".

Assim, começamos a conversar de outro modo a respeito dessa questão e partimos para uma pesquisa, na qual vimos esclarecidas nossas razões para não termos filhos.

Percebemos que não estávamos sozinhos em relação a esse estilo de vida, encontramos um movimento mundial composto por inúmeros casais sem filhos. Vimos que pesquisadores da Europa, do Canadá e dos Estados Unidos estudavam o tema, o que nos causou uma sensação de alívio. Comentamos um para o outro: "Meu bem, nós somos normais!".

Constatamos que, no Brasil, não havia associações representativas. Existem apenas levantamentos do IBGE e de alguns estudiosos das áreas de demografia, planejamento familiar e psicologia, contando com poucas pesquisas de pós-graduação e alguns artigos. A grande maioria dos trabalhos aborda o tema da ausência voluntária de filhos do ponto de vista da mulher, e não do homem ou do casal.

Foi nesse momento de retomar nossa decisão de não termos filhos, que compreendemos a importância de trazer à tona em um livro como seria a vida de tantos casais que fizeram essa opção.

Então, escrevemos este livro para discutir sobre as pessoas que decidiram não terem filhos, aquelas que estão indecisas e sobre aquelas que tiveram seus bebês e ficam imaginando como seria a vida sem filhos.

Decidir não ter filhos é um estilo de vida. Uma forma de você acordar pela manhã e saber que deve seguir o caminho com seu companheiro ou sua companheira sem filhos. Esta é a sua família!

Claro que estamos agregados à vida social. Não somos ermitães, morando dentro de uma caverna fechada. Nós damos festas para amigos que trazem seus filhos, recebemos muitas pessoas, convivemos com crianças de vizinhos, realizamos confraternizações no jardim para adultos e adoramos brincadeiras. Mas adotamos um estilo de vida sem filhos.

Porém, não é tão simples assim como pode parecer. As pessoas comentam:

- Ela tem algum problema para engravidar ou ele é infértil?"
- Já pensaram quando os dois envelhecerem?"
- Não ter filhos é um ato de egoísmo".
- Acho que não ter filhos é mais um ato de covardia".

Na sociedade contemporânea é preciso coragem para não ter filhos. Você é visto como um extraterrestre. As pessoas olham como se você não fosse "normal".

Alguns momentos nos fazem confirmar nossa decisão de não ter filhos.

Quando vamos ao mercado, nosso carrinho de compras é menor do que a da grande maioria dos consumidores, e se estamos sozinhos em um restaurante, a mesa de canto sempre é oferecida. Se convidarmos um casal que tenha filhos para vir em casa, ficamos na expectativa de que a criança não tenha compromisso – caso contrário, o casal não aparece. E se aparecer um casal com bebê, o marido e a mulher ficam se revezando com a criança. Parte do assunto é o recém-nascido e a outra parte são as recordações da época quando não tinham filhos.

Em um final de uma tarde de sábado, fomos visitar um casal. A esposa nos atendeu afavelmente, e ao sentarmos no sofá da sala, notamos que sua filha e muitas crianças brincavam. O marido saiu para buscar os filhos de outro casamento, após um passeio no zoológico.

Entre uma conversa e outra, ela permanecia inquieta; ficava dividida entre nós, a filha e as amigas da filha. Olhava o relógio, preocupada com o atraso dos pais que iriam buscar as crianças, ao mesmo tempo em que procurava um filme em DVD no quarto para distrair as meninas. Na sala, ficamos esperando sua volta, o que demorou muito tempo.

No fim, o marido chegou exausto, ela teve que levar as amiguinhas da filha até a casa dos pais, enquanto ele reunia os brinquedos e arrumava a desordem no quarto. E assim foi a noite.

Quando nos perguntam se temos filhos e respondemos "não", ao modo de quem assim decidiu viver, as pessoas nos olham sem entender e perguntam se crianças não fazem falta.

Como se o casamento fosse feito para procriar.

prefácio

PREFÁCIO

A questão colocada na obra que o leitor tem em mãos vai além da decisão de casais quanto à reprodução, isso porque envolve a trajetória da evolução das mentalidades. Desconhecia-se o vínculo entre sexo e procriação. Supunham que a vida pré-natal das crianças começava nas águas, nas pedras, nas árvores ou nas grutas, no coração da terra-mãe, antes de serem introduzidas por um sopro no ventre de sua mãe humana. Os homens não imaginavam que tivessem alguma participação na concepção de uma criança, informação esta que continuou sendo ignorada por milênios. A fertilidade era característica exclusivamente feminina, visto que a mulher estava associada aos poderes que governam a vida e a morte.

Nossos ancestrais da Era Paleolítica e do começo da Neolítica imaginavam o corpo da mulher como um receptáculo mágico. Devem ter observado como sangrava de acordo com a lua e como, miraculosamente, produzia gente. Também devem ter se maravilhado com o fato de ele produzir leite.

A ideia de "casal" era desconhecida: cada mulher pertencia, igualmente, a todos os homens e cada homem, a todas as mulheres. O matrimônio era por grupos. Cada criança tinha vários pais e várias mães e só havia a linhagem materna.

A domesticação dos animais, há, aproximadamente, cinco mil anos, fez que os humanos percebessem dois fatos surpreendentes: as ovelhas segregadas não geravam cordeiros nem produziam leite, porém, em um intervalo de tempo constante, após o carneiro cobrir a ovelha, nasciam filhotes. A contribuição do macho para a procriação foi, enfim, descoberta, mas não foi apenas isso. Os homens constataram que um carneiro podia emprenhar mais de cinquenta ovelhas! O homem, enfim, descobriu seu papel imprescindível em um terreno onde sua potência havia sido negada.

As colônias agrícolas foram expandindo-se e era necessário encontrar mais gente para trabalhar. Nessa época, quanto mais filhos, melhor. As mulheres, fornecedoras da futura mão de obra, passaram a ser encaradas como objetos e se tornaram mercadorias preciosas. Eram trocadas entre as tribos ou, se a troca não fosse possível, roubadas. A mulher, passando por simples objeto, servia ao homem apenas como instrumento de promoção social por meio do casamento, como objeto de cobiça e distração ou como um ventre do qual ele tomava posse e cuja função principal era a de fazer filhos legítimos.

No início do Cristianismo o sexo foi considerado abominável. Argumentavam que a mulher (como um todo) e o homem (da cintura para baixo) eram criações do demônio. O sexo era "uma experiência da serpente", e o casamento, "um sistema de vida repugnante e poluído". Foi Agostinho (354-430) quem disseminou o sentimento geral, entre os padres da Igreja, de que o intercurso sexual era fundamentalmente repulsivo. Arnóbio chamou o sexo de sujo e degradante. Metódio, de indecoroso, Jerônimo, de imundo, Tertuliano, de vergonhoso. Entre eles havia um consenso não declarado de que Deus deveria ter inventado um modo melhor de resolver o problema da procriação. Com muita condescendência, a Igreja aceitou o sexo no casamento, mas visando exclusivamente à procriação.

Para homens e mulheres da Idade Média, só era importante o que era impessoal. Eles desprezavam as delicadas distinções das coisas. Não se procuravam as realidades individuais, mas, sim, modelos, exemplos, normas. Na Idade Média as pessoas não se percebiam como indivíduos. A percepção do homem sobre sua singularidade, e até mesmo a consciência precisa sobre si mesmo, existia na Antiguidade. O Cristianismo introduziu uma desconfiança crescente a esse respeito. A introspecção, portanto, não podia ter por objetivo mais que descobrir a extensão dos pecados cometidos para deles se arrepender. Isso impede o acesso à vida interior de cada um. Poucos ousam enfrentar o tabu cristão que proíbe falar de si mesmo, porque é preciso pensar constantemente em Deus, na morte e na salvação. Tudo se opunha à expressão do sentimento particular. "Crescei e multiplicai-vos" era inquestionável.

É longo o caminho rumo ao "Eu". O Renascimento inaugura uma trajetória contínua de individualização da pessoa. O ser humano torna-se realmente um indivíduo, capaz de se reconhecer como tal. Entretanto, até o século XVIII, o dogma da dualidade entre o corpo e a alma contraria a exploração do mundo interior, por demais ligado ao pecado. A afirmação de si desencadeia escolhas, emoções, desejos, prazer, tudo aquilo o que um bom crente deve conter e domesticar para assegurar a salvação de sua alma. É preciso esperar os progressos científicos e a filosofia das luzes para começar a assistir a mudança desse olhar.

Até meados do século XX, a tensão entre a libido de cada um e os ideais coletivos exigiu grande esforço de sublimação. "O vício e a virtude se revezam incessantemente, marcando, cada um por sua vez, um século, uma década ou um curto período até os anos 1960, a partir dos quais a emancipação sexual das mulheres e o irresistível avanço de uma aspiração à felicidade imediata anunciam amplas mudanças, até mesmo uma revolução", diz o historiador Robert Muchembled.

A pílula anticoncepcional é a principal responsável pela mudança radical de comportamento amoroso e sexual observada a partir dos anos 1960. O sexo foi definitivamente dissociado da procriação e aliado ao prazer. A mulher libertou-se da angústia da maternidade indesejada e passou a reivindicar o direito de fazer do seu corpo o que bem quiser.

O sistema patriarcal, vigente na sociedade há cinco mil anos, que se apoiou na divisão sexista de tarefas e no controle da fecundidade da mulher – a mulher tinha quantos filhos o homem quisesse, passando grande parte da vida grávida –, recebeu, assim, um golpe fatal e começou a entrar em declínio.

A mulher, a partir de então, passou a ter a possibilidade de não só dividir o poder econômico com o homem, como de ter filhos se quiser ou quando quiser.

Apesar de a mulher ter-se emancipado em vários aspectos, a maior expectativa que ainda hoje se tem em relação a ela é que seja mãe. Não é raro se olhar com piedade as mulheres que não têm filhos e criticar aquelas que não desejam tê-los. A pressão ideológica é tanta que é raro encontrar uma mulher com mais de 35 anos que, não tendo filhos, esteja tranquila quanto à possibilidade de nunca vir a ser mãe. Com o passar do tempo, algumas tomam decisões que não podem mais ser adiadas: escolhem qualquer homem para ser pai de seu filho ou, então, em uma medida mais extremada, buscam, em um banco de sêmen, um doador desconhecido de esperma para poderem reproduzir-se.

Será que todas essas mulheres inquietas quanto à maternidade desejam realmente ter filhos? Ser mãe seria, então, um desejo inerente à natureza da mulher, que só assim alcançaria a plena realização? As reflexões contidas neste livro demonstram que não. Apenas continuamos submetidas a um modelo cultural.

O trecho do livro que trata das gerações X, Y e Z é especialmente interessante. Vivemos em uma sociedade conectada. Dezenas de milhões de pessoas interagem em redes sociais 24 horas por dia. O conceito de família está mudando. Adolescentes trocam impressões com idosos de diferentes partes do planeta como irmãos comentavam o dia a dia no passado de nossos pais. À realidade de que estamos vivendo a era do individualismo deve-se acrescentar a certeza de que nunca fomos tão coletivos. Não precisamos mais assumir a responsabilidade de povoar o mundo. Ele está lotado!

Os casais *dink, no kids* e *childfree* citados no livro, dentre outros muitos que fazem a opção em causa, estão reafirmando uma constatação contemporânea: não precisamos apostar em filhos para viver o futuro; podemos viver o presente! Assim, seremos seres humanos melhores e prepararemos um futuro melhor para os que aqui viverem.

Não podemos negar que há uma grande transformação em andamento. A crescente rejeição aos modelos tradicionais de comportamento permite que se percebam, com mais clareza, os próprios desejos. Os caminhos apontados pelos autores para a superação desse formato são ousados, mas a argumentação é clara: casais sem filhos podem ser uma opção diante do quadro social e econômico de nosso tempo.

Podemos concluir dizendo que a leitura de *Sem filhos por opção* é uma excelente contribuição para que as pessoas se libertem dos modelos tradicionais e possam viver em sintonia com seus desejos, sem culpa e com mais prazer.

Regina Navarro Lins
Sexóloga, psicanalista e autora do *best-seller* A Cama na Varanda;
colunista do *Portal IG* e do *Jornal O DIA* (RJ)

capítulo 1

conquistando o direito de não ter filhos

CAPÍTULO 1

Conquistando o direito de não ter filhos

Casais *dink*

O casal Silvia de Castro, 35 anos, arquiteta, e César Augusto, empresário de 40 anos, ambos sem filhos, viaja com relativa frequência e vai a restaurantes habitualmente. Para Silvia, a opção assumida de não ter filhos foi difícil em razão do preconceito das duas famílias, que não aceitam a decisão do casal; mas, como ela mesma diz:

> "Você vai superando, com o passar dos anos, as pressões sociais por não ter filhos. Hoje, estamos tranquilos com essa decisão, as famílias já se acostumaram. Sem filhos, temos a liberdade de viajar, passear, ir ao *shopping* quando queremos, ir ao cinema e dar festas em casa para os amigos. Meu marido investe bastante em aparelhos de tecnologia. Esses dias mesmo ele comprou um *tablet*, que era um sonho de consumo. Já fiz meu pedido para ele: ir à Veneza em uma segunda lua de mel. Vamos economizar e apertar o orçamento de casa, mas valerá o esforço. Foi assim que decidimos viver!"

Os casais sem filhos com menos de 64 anos de idade e nos quais ambos os cônjuges trabalham e geram renda familiar são chamados de *dink*, ou "casais de dupla renda", pelo mercado.

Dink é a sigla inglesa para *double income, no kids* ("dupla renda, nenhuma criança"); são os casais sem filhos que possuem os rendimentos somados, seja pela decisão do casal de não ter filhos, seja porque os filhos já são independentes e saíram de casa.

De acordo com um levantamento feito pela Consultoria Cognatis (2011), aproximadamente 75% dos casais *dink*, no Brasil, fazem parte das classes socioeconômicas A, B e C. Conhecemos casais que, com os rendimentos somados, totalizam cerca de R$ 10.000,00 a R$ 20.000,00. Um desses casais é formado por um marido advogado e uma esposa profissional liberal da área de saúde. Ambos têm carteira de investimento no mercado de ações e aplicam outra parte das finanças em bancos.

De acordo com L. F. W. Barros, J. E. D. Alves e S. Cavenaghi, nos últimos doze anos o total de casais sem filhos aumentou 50% no país. Entre os casais nos quais ambos os cônjuges trabalham, o número dobrou. Nesse grupo, havia mais de 2 milhões de casais brasileiros em 2006 que optaram por não terem filhos, contra 1 milhão em 1996, embora tal quantificação careça de precisão estatística. Foi constatado que metade dos casais *dink* trabalha com carteira assinada, contra 35% da média nacional. Sua renda é pelo menos 70% maior em relação aos casais com filhos e seu padrão de consumo é mais alto. O estudo indica que essa composição familiar tende a crescer nos próximos anos. Segundo os dados levantados pelos autores, a partir dos dados da Pesquisa Nacional Por Amostra de Domicílios (PNAD), em 1996 a família *dink* compunha 2,7% do total de domicílios, passando para 3,7% em 2006. Em termos absolutos, o crescimento foi de 90% em uma década[4].

Os *dink*, em sua maioria, buscam a liberdade e a felicidade individuais e investem na satisfação e no prazer pessoais; compram produtos de marca e aparelhos eletrônicos e de tecnologia de última geração; realizam viagens dentro e fora do país; os *hobbies* são comuns e os automóveis novos são sonhos de consumo; buscam decorar a casa com sofisticação e frequentam restaurantes com regularidade.

Apesar de morarem nos centros urbanos, com a valorização do requinte da casa decorada, os casais *dink* se refugiam próximos à natureza durante as férias ou nos finais de semana prolongados. O gosto pelo moderno, pelo exótico e pelo belo despertam o interesse dessa categoria de casais pela cultura oriental e pelo rústico chique; eles são espectadores dos programas de decoração e de viagens de ecoturismo e investem em cursos de pós-graduação e especialização.

Silvia declarou:

"Fiz pós-graduação para investir na minha carreira profissional, era algo que eu vinha adiando. Agora, quero redecorar a casa com um estilo meio oriental. Quando der o dinheiro (sic), começarei a comprar as peças aos poucos. Ainda bem que o César me acompanha, ele tem um gosto especial com os objetos de casa."

Os *dink*, com um poder de compra atual de R$ 168 bilhões por ano e com seu estilo ativo, moderno e de alto consumo, têm motivado as consultorias de pesquisa a levantarem seus perfis e levado algumas empresas a prestarem mais atenção ao seu potencial de consumo.

Para esses casais, o prazer está acima de qualquer limite; como eles não têm filhos, as chamadas "despesas extras" são comuns em seus orçamentos familiares, mesmo que essas despesas representem o uso do cheque especial ou o alto valor da fatura do cartão de crédito no final do mês.

As empresas sabem do potencial de consumo dos *dink* e não perdem tempo nem dinheiro ao investirem nesse mercado bilionário. Elas agem com a mesma velocidade que a informação corre pela internet, vendendo produtos e serviços, seja nos sites comerciais, seja nas lojas dos *shoppings*.

Segundo a professora universitária Aurea de Olivo, 58 anos, solteira e sem filhos, "(...) esses gastos também podem representar uma autorrealização, já que não gastamos com filhos e precisamos efetuar esses gastos de alguma maneira".

No entanto, a categoria desses casais não reflete a realidade de todos os casais sem filhos no Brasil. Existem diferenças nos hábitos de consumo e no poder aquisitivo, que variam segundo a idade, a classe social, a formação cultural e os valores pessoais.

Cuidado! Um filho pode chegar a custar R$ 1.000.000,00

Em um comercial postado no *YouTube*[5] pelo usuário bannedcommercials, vemos um pai e um filho em um supermercado. O filho pega um pacote de salgadinhos e o coloca no carrinho, o pai o retira e o devolve à prateleira. O filho pega novamente o pacote e o joga no carrinho, e o pai, mais uma vez, o devolve à prateleira. A cena se repete algumas vezes, aumentando o nível de tensão entre os dois, até que o filho, vendo o pai irredutível, tem um ataque de fúria e, gritando, derruba os produtos das prateleiras e se joga no chão, esperneando. O pai fica atônito e o comercial se encerra assim: "da próxima vez, use camisinha".

Vamos imaginar um casal, com os nomes de Clélia e Humberto, com dois filhos. Eles são de classe alta e moram em um apartamento de cobertura na Zona Sul da cidade de São Paulo. A preocupação com o conforto e a educação dos filhos sempre foi prioridade para ambos. As crianças ganham muitos presentes, brinquedos, roupas de grife e celulares e estão matriculadas em uma escola particular. Os amigos dos filhos têm um padrão de vida parecido; sempre há festinhas ou encontros que os pais fazem questão de acompanhar.

O casal tem em mente que a faculdade será paga por conta deles. Sonham que, quando os filhos crescerem, terão uma profissão rentável e um grande cargo em uma empresa ou que, por exemplo, se decidirem por medicina, trabalharão em um bom hospital. Depois, conhecerão alguém com quem se casarão e terão filhos e, assim, o sonho continua...

Segundo o consultor Mauro Hafeld, criar um filho dentro do padrão da família brasileira de classe alta não sai por menos de R.$ 962.160,00, do zero aos 22 anos de idade; para a classe média, o custo é de R.$ 320.400,00, e, para a classe média alta, é de R.$ 640.920,00. Os itens de gastos estão concentrados em habitação, alimentação, transporte, despesas pessoais, saúde, vestuário e educação.

Portanto, o sonho de Humberto e Clélia não custará menos do que 1,8 milhão de reais, somando as despesas dos dois filhos e considerando que o segundo filho custa 80% do que custa o primeiro. Isso, sem contar o quanto se gasta com brinquedos e sem contar que a família passa por vários Natais, aniversários e Dias da Criança; a filha ganha a carteira de motorista e o automóvel, e é o pai quem paga o combustível e a manutenção do veículo; a mãe dá a viagem de férias, o *laptop* e o celular de presente; e ainda há as contas do telefone, do transporte à escola e das emergências que sempre surgem. Esse valor poderá ultrapassar a cifra de R.$ 1.500.000,00 por filho para a classe alta.

O imaginário popular da família contemporânea, que criou a ideia de que os filhos devem ter o melhor, "custe o que custar", tem feito com que os pais gastem suas economias sem um planejamento financeiro adequado.

Saber quanto uma criança custa em cada fase da vida é importante para o controle financeiro do casal. No levantamento do professor de finanças Luiz Carlos Ewald, da Fundação Getúlio Vargas, uma família com renda mensal entre R.$ 4.000,00 e R.$ 5.000,00 gasta, nos três primeiros anos de vida do filho, em média, R.$ 26.000,00, com roupinhas, berço, brinquedos, quarto, fraldas, alimentação etc.; depois, esse valor vai aumentando:

Dos 4 aos 6 anos de idade: R$ 45.000,00
Dos 7 aos 10 anos de idade: R$ 70.000,00
Dos 11 aos 14 anos de idade: R$ 86.000,00
Dos 15 aos 17 anos de idade: R$ 66.000,00

Do momento em que o filho ingressa na faculdade até seu término, o custo médio passa a ser de R$ 125.000,00. Portanto, conforme os filhos vão crescendo, as despesas crescem, acumulando altos valores.

Com a alta fatura do cartão de crédito, os pais acabam trabalhando mais para pagar as contas, passando menos tempo com os filhos. Porém, pessoas sem filhos também podem passar muito tempo no trabalho e dedicar-se de tal maneira à carreira que podem não ter tempo para os prazeres individuais.

Telma de Oliveira, 31 anos, gerente de *marketing*, casada e sem filhos, tem a seguinte opinião: "Se eu tivesse filhos, não mudaria as horas que passo no escritório, mas as preocupações financeiras seriam outras, como pagar a escola das crianças, roupas infantis, brinquedos, saúde, alimento, tudo de que os filhos precisam normalmente. Como não tenho essas despesas, meu marido e eu trabalhamos para nós, para o nosso planejamento de vida. Minhas amigas com filhos contam como é difícil equilibrar o que entra e sai de casa. Elas falam que é uma 'corda bamba' a cada mês. Faço uma noção (sic) do que elas vivem. Em casa, tentamos equilibrar nossas despesas, que a dois já é difícil, imagine com filhos (...)".

Tempo e custos financeiros são os principais vilões para a decisão de alguns casais não terem filhos. Ser pai ou mãe acabou se transformando em uma "carreira" repleta de obrigações, com enormes déficits financeiros e horários apertados.

O dinheiro que um casal gasta com uma criança na escola, por exemplo, equivale à compra de equipamentos de tecnologia e ao investimento em cursos de pós-graduação que os casais sem filhos podem fazer; pode-se, ainda, reverter parte do valor para uma longa viagem em um cruzeiro marítimo.

A dupla renda que os cônjuges sem filhos acumulam permite ao casal investir nos sonhos e projetos pessoais, como a esposa que faz pilates e o marido que cursa gastronomia por *hobby*.

Parte do orçamento da família e do tempo dedicado são depositados em prazer, divertimento e investimento profissional, e a outra parte, nas despesas da casa.

O custo de uma criança para alguns casais pode pesar na decisão de ter ou não ter filhos, porque nossa sociedade assentou a crença de que um bom pai e uma boa mãe são aqueles que financiam os desejos dos filhos.

A professora Aurea de Olivo observa:

"Poderíamos pensar em investimentos, já que não gastamos com filhos; poderíamos fazer uma poupança próxima desses gastos, mas acaba-se gastando parte dessa economia com os agregados, ou seja, sobrinhos, afilhados e outros, e o próprio sistema de consumo coloca o cidadão dentro de um labirinto sem saída."

No exemplo de Clélia e Humberto, um casal sem filhos faria uma economia de cerca de R$ 6.818,00 por mês, comparando com o orçamento de dois filhos. Isso, se os custos forem rigorosamente controlados, o que sabemos que é praticamente impossível.

Acreditamos que o aspecto financeiro não é o fator determinante para o casal ter ou não filhos, mas acaba influenciando a decisão.

Vemos casais que vão ao *shopping* aos fins de semana levar os filhos para passear, brincar nos parques, assistir aos filmes infantis, comer sanduíches e fazer compras nas lojas. Tudo em função das crianças.

A companhia dos filhos é um prazer, isso é indiscutível, mas cumprir o ritual de consumo, no alto padrão em que a economia, a cultura e o mercado exigem das famílias brasileiras para sobreviverem, obriga os pais a passar a semana trabalhando mais de oito horas por dia. *Isso pode tornar-se um tipo de escravidão legalizada pelo sistema.*

O imaginário da "boa família" do século XXI, no qual uma família só é família se os pais passarem pelo sacrifício que a sociedade espera deles, tem custado caro em todos os sentidos.

Os casais no estilo de vida "sem filhos por opção" têm outro imaginário. Entendem que as obrigações que os pais normalmente vivem com relação aos filhos restringem a liberdade, comprometendo a individualidade do casal.

Mas o estilo de vida não isenta o casal de sua consciência quanto ao consumo compulsivo. O imaginário de liberdade dos casais sem filhos pode ficar preso no fundo de seus bolsos, consumindo sem a menor medida, confundindo a ideia de ser livre com a possibilidade de comprar produtos e serviços sem limites.

No Brasil, o consumo aumentou e a dívida da população cresceu. Talvez seja essa a razão para que os casamentos aconteçam mais tardiamente além de razões sociológicas, psicológicas etc. Que vão além do âmbito financeiro. As mudanças nas dinâmicas familiares, que incluem os recasamentos, são um fator importante; o crescente individualismo, que faz com que muitas pessoas prefiram passar um tempo sozinhas antes de se casarem, também é responsável pelos casamentos mais tardios. Hoje em dia, os homens casam pela primeira vez, em média, com 30 anos, e as mulheres, com 27 anos[6]. Isso indica que um casal procura planejar mais as finanças, investir na carreira profissional e na formação escolar antes de marcar a data do casamento. Existe uma quantidade considerável de casais que prefere, primeiramente, comprar a casa própria para depois se unir em matrimônio, como foi o caso de Telma:

"Demoramos dois anos a mais para casar, porque não queríamos viver de aluguel. Financiamos o apartamento. Fiquei triste por adiar duas vezes o casamento, mas hoje não me arrependo da decisão. Estamos felizes."

Outros casais percebem as dificuldades financeiras e adiam a chegada do bebê ou acabam não tendo filhos.

Movimento sem fralda e sem chupeta

Ana Paula, 29 anos, professora, casada há dois anos e sem filhos, veio nos visitar. Ela estava preocupada, como se algo grave tivesse acontecido. Abaixou a cabeça e disse:
– Desculpe, estou um pouco nervosa.
– Está tudo bem em casa? – perguntamos.
– Sim. O problema é comigo. Ontem, tive um pesadelo: sonhei que estava grávida.
– Como assim? Você e seu marido não querem crianças?
– Pelo meu marido não vamos ter filhos. Mas fico pensando se eu vou me arrepender se não tiver. Depois, imagino como deve ser difícil cuidar de um bebê...
– Você já tinha pensado em ter filhos...
– Até pensei. Mas tudo está tão caro. Não basta querer ser mãe – disse ela, suspirando.
– Nós sabemos que os seus pais querem um netinho...
– Sim. Acham que eu deveria engravidar. É uma pressão terrível da família.
– E você tem outras prioridades. Certo?
– Quero investir na minha carreira.

– Continua fazendo aquelas viagens a trabalho?
– Continuo. Não tenho tempo para nada, nem para o meu marido, quanto mais para uma criança. Acho que eu não daria conta de um filho.

Percebemos como esse assunto se torna delicado e cheio de conflitos. A decisão tomada pelos casais sempre implicará consequências, colocando-os em dúvida sobre o que devem fazer. Quando um casal tem filhos, uma parcela da individualidade dos pais fica perdida. Tudo gira ao redor do filho. A criança é o centro das atenções. Mas e os pais? Como ficam suas vidas, seus sonhos, seus desejos? O que aconteceu com eles no século XXI? Não somos iguais aos nossos pais. E com certeza os filhos de hoje não se parecem nem um pouco conosco, quando éramos crianças.

Movimentos *no kidding, childfree* e outros

Estão acontecendo mudanças na sociedade em vários países. Mudanças de valores, de crenças, de conceitos de família. Casais sem filhos por opção e solteiros sem filhos são duas novas categorias familiares que têm aumentado ano após ano; o que motivou pessoas que não tinham filhos por decisão própria a criarem um movimento de casais e solteiros sem filhos?

Há alguns anos, surgiu um movimento internacionalmente chamado de *childfree* ("livre de crianças", em inglês). São os casais e os solteiros que optaram por não terem filhos, sejam biológicos ou adotivos.

Existem casais que não puderam gerar bebês por alguma razão biológica, algo que não acontece entre aqueles que tomaram a decisão de ter uma vida conjugal como marido e mulher, marido e marido, mulher e mulher ou solteiros sem filhos.

Essas novas categorias familiares começaram a ser discutidas na década de 1970, o que posteriormente deu origem à associação conhecida como No Kidding.

No Kidding é uma associação que foi fundada em 1984, em Vancouver, Canadá. Essa associação, a mais famosa do gênero, busca ser um espaço para casais e solteiros sem filhos se encontrarem, fazerem novas amizades e participarem de eventos culturais e sociais, de jogos, de convenções e de brincadeiras sadias. Ela difundiu-se por várias cidades dos Estados Unidos, da Nova Zelândia, do Canadá, da Espanha e da China, segundo a relação existente em seu site oficial (<www.nokidding.net>). Todavia, é possível ter referências de que a associação se espalhou com mais de 49 filiais e milhares de associados e simpatizantes pelo mundo.

A No Kidding apresenta regras claras. Os integrantes são adultos, solteiros ou casados, que não têm filhos. Mas, se um dos parceiros tiver filhos, seja ele ou seja ela, poderá associar-se à organização como convidado(a) de seu parceiro(a) sem filho. Não há restrições quanto a idade, raça, etnia, nível cultural, *status* econômico ou mesmo quanto à orientação política, sexual ou religiosa.

Para a professora universitária Aurea, solteira sem filhos:

"Considero que em todo movimento relacionando casais, filhos e relacionamentos passa a ser interessante observar as mudanças que esse movimento traz à tona, seja do ponto de vista econômico, seja do ponto de vista social."

Na Inglaterra, surgiu outra associação, a The British Childfree Association, em 2000, diferente da No Kidding, tendo como intuito defender os direitos dos britânicos sem filhos com relação à igualdade de oportunidades no emprego e à legislação fiscal do Reino Unido, promovendo a ideia de que o *childfree* é um estilo de vida alternativo e de que não deve ser discriminado pela lei ou pelos valores políticos do Estado.

Há também o Childless by Choice Project, de Laura S. Scott, que pesquisou a vida de 171 pessoas sem filhos que vivem nos Estados Unidos e no Canadá, gerando um documentário audiovisual e um livro. É possível encontrar uma variedade imensa de *sites*, *blogs*, fóruns, livros, artigos, depoimentos (a favor e contra o movimento), pesquisas acadêmicas, convenções em hotéis e estudos espalhados pela internet, em inglês, sobre a condição social contemporânea de não ter filhos.

A quantidade de reportagens e de material de divulgação do movimento *childfree* mostra que o tema tem recebido espaço na mídia e que vem crescendo na Europa, no Canadá e nos Estados Unidos, além de atingir outras nações.

O percentual de casais sem filhos, entre 1985 e 2005, nos Estados Unidos, passou de 9,5% para 15,7%, e muitos jovens, principalmente na Europa, têm como meta não procriar[7].

Apesar do percentual de casais sem filhos no Brasil ter sido superior ao dos Estados Unidos, de 13,3% para 17,1% em dez anos[8], há pouca difusão do movimento *childfree* no país; constam reportagens, alguns artigos e raros estudos acadêmicos na área, algo que nos levou a discutir esse movimento.

É preciso ter em mente que muitas das estatísticas disponíveis são provenientes das PNADS (Pesquisa por Amostra de Domicílio), em que se considera que "casais sem filhos" são aqueles que não residem com os filhos, o que não significa que os filhos não existam ou que a ausência deles seja voluntária. Esses dados não apresentam um maior refinamento para medir apenas os "casais sem filhos por opção", apesar dessa categoria estar crescendo no Brasil.

Mas a quantidade de revistas especializadas de pais e filhos e cuidados com o bebê, a Feira da Gestante, as reportagens sobre casais com filhos na televisão, os programas de rádio abordando o papel dos pais na família, os incontáveis *sites* na internet e *blogs* discutindo a relação de pais e filhos são infinitamente superiores ao espaço reservado na mídia para os casais sem filhos por opção.

O movimento *childfree* tem como objetivo favorecer a liberdade, propondo uma sociedade mais tolerante com quem faz a opção de não ter filhos, sejam casais, sejam solteiros, e que resguarde os direitos dos cidadãos contra os preconceitos ou as restrições sociais.

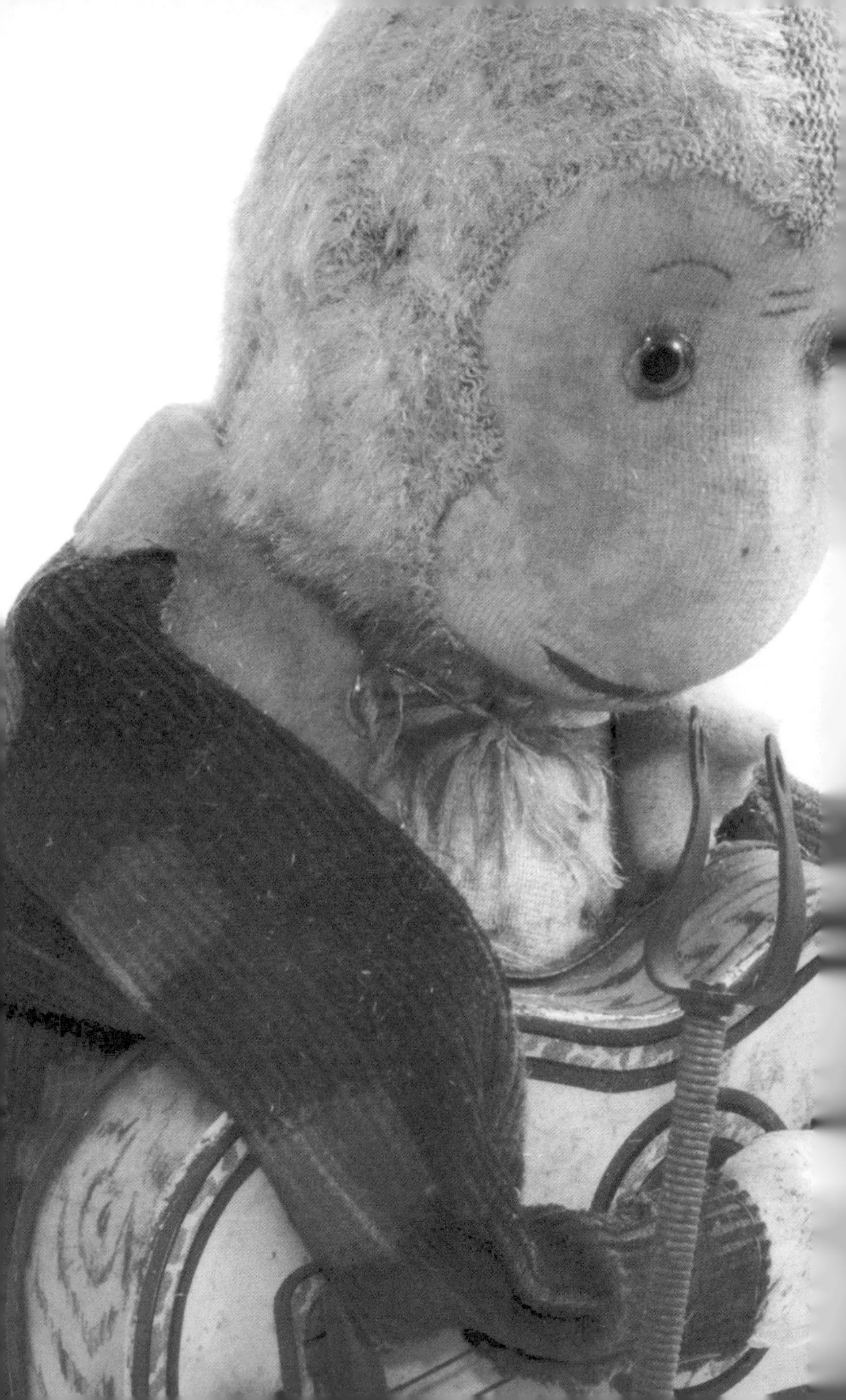

capítulo 2

razões para não ter filhos

CAPÍTULO 2

Razões para não ter filhos

Quais seriam as principais razões para as pessoas decidirem não ter filhos?

Procuramos relacionar algumas das razões que justificam, dentro dos princípios humanistas, a decisão dos casais e dos solteiros de não terem filhos, levando em consideração as prioridades desses casais e a individualidade dos solteiros. Apresentamos alguns valores, algumas crenças e o modo de vida que envolve os papéis sociais e as características individuais a partir de um estilo de vida de solteiros e casais sem filhos.

Carreira

Renata Moreno tem 44 anos, trabalha como publicitária, é casada e nunca teve filhos. Ela nos disse: "Sempre adiei a maternidade, desde o início do casamento: uma hora era o trabalho, outra hora era a compra de um apartamento e assim os anos se passaram... Meu marido ficou chateado no início, mas compreendeu a minha decisão".

Atualmente, no Brasil, aproximadamente 45% da população economicamente ativa é representada pelo sexo feminino, entre casadas, solteiras, viúvas e separadas[9]. Apesar da jornada semanal de trabalho da mulher ser cinco horas superior à do homem, seu salário é inferior ao dele cerca de 20% a 35%[10].

Na opinião de Silvia de Castro, 35 anos:

"Foi uma luta (...), a mulher conquistou seu lugar no mercado de trabalho. Hoje, vemos mulheres que são motoristas de táxi e de ônibus, prefeitas, presidentes de países, diretoras de empresas e até uma militar que pilota o jato da Força Área Brasileira. Muitas são diaristas, vendedoras e secretárias, fazendo seu trabalho com dignidade e competência. Eu trabalho com arquitetura: comecei como estagiária, depois, passei a fazer projetos com outros arquitetos; hoje, montei meu próprio escritório. Mas em muitas áreas ainda há diferenças salariais entre o homem e a mulher. Essa será outra batalha da mulher."

Nos últimos dez anos, o número de executivas aumentou nas empresas, e elas levaram as organizações ao sucesso.

Entre as 100 melhores empresas para se trabalhar no Brasil, cerca de 36% dos cargos de liderança são ocupados por mulheres[11].

As mulheres que trabalham em cargos de liderança, principalmente as executivas, dedicam muita atenção à carreira ou ao próprio empreendimento. Priorizam o trabalho profissional, ao contrário das mães que se dedicam exclusivamente aos filhos.

Elas levam material do escritório para casa, passam horas diante da tela do computador e não medem esforços para se destacar; muitas deixam a geladeira vazia, não fazem compras nos supermercados, usam a casa como dormitório, privam-se de animais de estimação, passeiam pouco e não pensam em ter filhos.

Tínhamos uma amiga que era diretora de tecnologia de uma grande empresa; morava sozinha, era solteira e sem filhos, com 34 anos à época. Ela dizia, bem-humorada: "Trabalho tanto na empresa que a geladeira e o fogão do meu apartamento viraram peças decorativas. Meu apartamento me serve como dormitório. Quase não fico lá".

Mas, quando a profissional é mãe de crianças, pode haver algumas situações delicadas envolvendo o que a empresa espera de uma funcionária e as responsabilidades maternas que ela assume.

Aconteceu no departamento de *marketing* de uma empresa de cosméticos. Era sexta-feira e a gerente do setor programava o lançamento de um produto para o dia seguinte, em um hotel fazenda a 150 km de distância. O expediente chegava ao seu fim; contudo, restava ainda muito trabalho a ser feito. O clima era tenso e o departamento não conseguia se organizar.

A gerente pediu às duas assistentes que ficassem naquela noite além do horário e que não se esquecessem de que, no sábado, precisariam viajar para trabalhar em um evento.

A primeira assistente disse: "Desculpe, hoje eu não posso ficar até mais tarde. Tenho que buscar meu filho na escola. No sábado, faço a viagem e chego cedo para o evento".

A segunda assistente comentou: "Eu posso ficar hoje até tarde da noite, mas sábado é aniversário da minha filha. Infelizmente, não poderei viajar. Espero que você entenda".

É difícil para uma mãe conciliar trabalho e filhos. Depende, também, do bom-senso da chefia compreender algumas situações e levar em conta o valor de suas funcionárias.

Muitas mulheres acreditam que os filhos representam uma barreira para a ascensão profissional. Para quem pensa em fazer carreira, a empresa vem em primeiro lugar. Priorizar o trabalho, dedicando tempo e empenho, acaba pesando na hora de uma promoção.

E como ficaria a mulher profissional e mãe?

A mãe que trabalha e dedica pouco tempo aos filhos pode se sentir culpada, enquanto a mulher que adia a chegada dos filhos para investir na carreira profissional pode perceber que ficou tarde demais para engravidar, arrependendo-se em algum momento, ou conseguir resolver-se como uma mulher sem filhos.

O conflito entre trabalho e filhos, para as mulheres, poderia ser amenizado com a colaboração masculina nas atividades domésticas, cuidando das crianças e diminuindo os afazeres de suas esposas. Mas essa participação do homem está carregada de tabus e preconceitos, uma vez que, no imaginário popular, a responsabilidade da casa e dos filhos pertence à mulher, sendo o homem um mero colaborador da esposa[12].

Trabalhar e cuidar da casa e dos filhos deixa pouco tempo livre. Maria do Carmo, divorciada, 45 anos, diarista com dois filhos, ao chegar à sua casa, depois de oito horas de trabalho e quatro horas de transporte público, cuida dos afazeres domésticos e dos filhos, e o tempo livre é tirado para dormir assistindo à televisão ou dormir simplesmente no sofá. Ela chega a repousar apenas de cinco a seis horas por noite. Uma realidade comum para muitas mulheres.

A participação feminina no mercado de trabalho e nos negócios tem demonstrado ser irreversível. Na última década, o número de mulheres que preferem investir na formação em educação para o ingresso nas empresas e na ascensão da carreira tem aumentado exponencialmente em relação aos diversos momentos históricos que a mulher atravessou durante décadas e aos baixos índices de fecundidade.

Ainda assim, existe hoje um forte movimento de "retorno ao lar", detectado principalmente nos países desenvolvidos, em que há uma corrente ideológica de retomada do naturalismo e do biologismo, com a consequente dedicação exclusiva das mulheres no ambiente familiar, priorizando a maternidade e o papel de mãe. Tal fenômeno é analisado criticamente pela filósofa Elisabeth Badinter, em livro de 2010[13].

Nesse sentido, Badinter oferece em suas reflexões elementos interessantes para se pensar o posicionamento da mulher contemporânea. A filósofa apresenta e critica severamente o fenômeno da "volta ao lar" vivenciado pelas mulheres na atualidade, especialmente na França e em países desenvolvidos, que vivem uma crise com o baixo número de crianças na sociedade. Parte da Europa terá dificuldades na estrutura interna para o desenvolvimento econômico e social, se não houver uma solução sobre a procriação e a administração do envelhecimento da população.

Verifica-se atualmente o fortalecimento de uma ideologia de retorno ao naturalismo, à volta ao intenso estímulo à maternidade, ao aleitamento materno e à valorização dos afazeres domésticos pela mulher.

Os papéis desempenhados pela mulher na vida econômica e social foram se consolidando ao longo das últimas décadas, provocando o declínio da fertilidade e o aumento na idade média da maternidade, bem como da quantidade de mulheres no mercado de trabalho e os diferentes modos de vida femininos, tendo como consequência, para as mulheres, um sacrifício pela independência e pela dupla jornada de trabalho, que, em meio a um contexto de crise econômica, teria levado essa corrente ideológica a diminuir o valor da mulher como profissional no mercado de trabalho, estimulando-a para "a volta ao lar".

A ideia de valorizar o papel de mãe e do aleitamento materno, com a consequente renúncia ao trabalho ou a redução de sua jornada nas empresas, poderia diminuir a culpa das mulheres que não se dedicaram a uma vida de mãe, a uma vida voltada exclusivamente ao lar.

As políticas dos países desenvolvidos que incentivam à procriação, principalmente na Europa, exercem um importante papel nessa decisão do "retorno ao lar".

Para termos uma ideia, há toda uma valorização do que é tido como natural. Por exemplo, existe uma corrente de pensamento que considera a pílula anticoncepcional como bloqueadora de um processo natural, valorizando o que seria chamado de "uma mãe ecológica", dos partos humanizados e naturais e das políticas de incentivo ao aleitamento materno.

Assim, a questão do amor materno volta como prioridade na vida feminina, um instinto que as mulheres teriam que respeitar acima de tudo, como acreditava a sociedade europeia do século XVIII.

Surge um profundo conflito para a mulher do século XXI, principalmente nos países mais desenvolvidos: ser mãe, dedicando-se integralmente aos filhos, doando seu tempo à educação das crianças e aos afazeres domésticos como dona de casa; ou correr o risco de se sentir culpada, alvo de discriminação e preconceito frente à sociedade ao se tornar uma profissional trabalhando nas empresas, uma mulher independente financeiramente, garantindo parte de suas conquistas femininas na sociedade.

Em um levantamento que realizamos com mulheres sem filhos, a dedicação ao trabalho foi destacada como um dos principais motivos para que não procriassem ou para que adiassem a maternidade por tempo indeterminado. Elas perceberam algumas vantagens no investimento na carreira profissional junto com os maridos.

Telma de Oliveira, 31 anos, gerente de *marketing*, casada e sem filhos, observa:

> "Depois do nosso apartamento financiado, meu marido e eu estamos economizando para comprar uma casa na praia. Vamos vender um dos carros e tentar dar a entrada. Temos nossos planos, nossos sonhos, vamos realizando devagar (...)".

Um casal sem filhos, no qual ambos trabalhem fora de casa, encontra maiores possibilidades de subir na pirâmide social, podendo passar da classe socioeconômica C para a classe B ou da classe B para a classe A.

Acumular a renda e não ter despesas com filhos possibilita uma ascensão social mais rápida para o casal.

Hoje, várias mulheres são executivas que chefiam empresas, funcionárias em cargos públicos, atuantes na política (em 2012, começou a vigorar o primeiro mandato da primeira presidenta da República Federativa do Brasil), consultoras de negócios e empreendedoras, destacando-se como líderes respeitadas nas organizações do país. Muitas não pretendem casar-se e nem ter filhos.

Telma confirma essa tendência: "Desde o início do casamento eu tinha dito ao meu marido que não queria filhos. Preferi investir no meu trabalho e na minha formação. Quero subir na empresa".

Maria do Carmo, diarista, sonha em ver seus filhos na faculdade: "Trabalho muito e até no final de semana, mesmo sendo longe. Quero ajudar minha menina e meu menino a fazerem faculdade".

No Brasil, aproximadamente metade das trabalhadoras estão no comércio, nos serviços e na administração, sendo que 6,7 milhões são classificadas como empregadas domésticas e cerca de 2 milhões são chamadas de diaristas[14]. Muitas dessas mulheres lutam para formar seus filhos nas faculdades e utilizam a internet para arrumar trabalho extra.

A decisão de não ter filhos, para um casal, pode ser amplamente discutida pelos cônjuges, pensando suas expectativas e razões.

A mulher contemporânea, decidida e independente, ingressa no mercado de trabalho marcando uma das grandes conquistas sociais. Porém, como tudo tem seu preço, a escolha de não ter filhos ou a gravidez adiada poderão transformar o desejo da maternidade no desejo de investir na carreira profissional, gerando conflito e medo no futuro; ou assumir a posição de profissional sem filhos e seguir fazendo carreira nas empresas e investindo nos negócios, sem culpa por não ter engravidado. É uma decisão a ser tomada de forma madura e consciente pelo casal, visto que o homem poderá dar apoio à iniciativa da mulher.

O tempo para casais e solteiros sem filhos

— Fiquei horas na reunião da escola da minha filha.
— Meus filhos consomem todo o meu tempo.
— Cansei de esperar os meninos chegarem das festas à noite.
— Minha menina de 18 anos faz o pai de motorista; ele levanta às cinco horas da manhã no sábado para buscá-la na "balada".
— Perco as noites de sono com meu bebê.
— Emprestei o carro para meu filho mais velho com o tanque cheio; para minha surpresa, ao ir trabalhar, quase fiquei na rua.
— Como consigo trabalhar se meus filhos ligam a cada cinco minutos no celular?
— Depois que tive filhos, não me sobra um centavo e nenhum segundo de tranquilidade.

Essas frases e muitas outras estão espalhadas em jornais, revistas, internet, conversas na sala de espera do dentista e desabafos da vizinha pelo muro de casa.

Entre as pessoas com quem conversamos, a questão do tempo foi uma das mais citadas em relação à opção de não ter filhos. Renata Moreno, 44 anos, casada e sem filhos, diz sobre quem tem filhos:

"Observo que o mundo gira em torno dos filhos: é a preocupação com a escola, com a saúde, quem vai levar e buscar... Compromissos. Vejo com certa aflição a preocupação das mães que trabalham e ficam gerenciando por telefone... Onde está, com quem foi, fez a lição?"

É impossível medir o tempo que os pais passam se ocupando dos filhos, e sabemos que é quase uma "eternidade". Tudo começa durante a gravidez; depois, são as diferentes fases da vida, que exigem diferentes prioridades e cuidados. São meses e meses sem descanso, sem tirar férias fora do período escolar das crianças, passando finais de semana viajando com os filhos, levando as crianças à escola, participando de festas infantis, ouvindo as reclamações dos adolescentes e infinitos minutos de algazarra que não cessam em casa.

O tempo tornou-se um vilão para os pais.

Enquanto os casais com filhos gastam o tempo com a dedicação exclusiva à família, os casais e os solteiros sem filhos vivem o tempo para si. E não será apenas à carreira profissional ou ao empreendimento que se dedicarão no dia a dia, mas também a outras atividades. É comum encontrarmos casais e solteiros que não têm filhos praticando esportes e brincando com jogos, em busca de diversão e descontração.

Cassiano Pereira Gomes, 37 anos, vendedor, solteiro e sem filhos, comenta:

"Meu tempo livre é para fazer aulas de dança de salão e surfar. Uma família iria criar obrigações que eu não quero. Cheguei a namorar uma garota que era mãe, parei de sair por causa do filho dela. Você não tem mais tempo para si, é só a criança que importa. O namoro não deu certo."

Se os pais precisam impor normas de conduta na família para educar os filhos e crescer na experiência adulta, servindo de exemplo para o desenvolvimento social e psicológico da criança, é natural que o mundo "sério" do adulto prevaleça diante das brincadeiras.

Como solteiros sem filhos e casais no estilo de vida *childfree* não têm crianças em casa, valorizam as brincadeiras, principalmente quando levamos em consideração que, na ausência dos filhos, o adulto passa a ser a criança.

O homem e a mulher sem filhos, muitas vezes, se veem como crianças propensas às brincadeiras; isso, quando não se sentem como adolescentes ávidos por aventuras.

O tempo, para esses casais e para os solteiros, torna-se subjetivo e lúdico, sendo que, durante os jogos, brincadeiras e aventuras, não há medida para as horas. O tempo passa e é esquecido pela capacidade do adulto de brincar. O tempo, para os casais com crianças, torna-se o tempo estabelecido pelos filhos.

O tempo é prazer, não obrigação.

A interação com outras pessoas, quando acontece por meio das brincadeiras e da jovialidade aventureira de novas experiências compartilhadas, pode ser vista nos acampamentos para adultos, na prática de esportes radicais, nos jogos de praia, nas longas caminhadas das trilhas, atividades nas quais os adultos rapidamente se relacionam e criam vínculos afetivos entre si.

É o que nos diz Ana Paula, de 29 anos. Ela e o marido têm um espírito aventureiro:

"Quando podemos e temos tempo, fazemos trilhas, acampamentos e *rafting*. Cada programa é uma aventura diferente. Aproveitamos a vida sem aquelas obrigações que os pais têm com seus filhos. Você acaba fazendo amizade com pessoas interessantes e cria vínculos que naturalmente vão acontecendo."

Há pais e mães que trazem um espírito infantil, de brincadeiras e aventuras, mas eles precisam priorizar a diversão das crianças e as aventuras dos adolescentes, independentemente dos seus desejos.

A ludicidade e a interação pelo afeto entre pessoas justificam um dos motivos, dentre tantos outros, por que a associação No Kidding surgiu, espalhando-se rapidamente por vários países na troca de ideias, brincadeiras e experiências entre casais e solteiros sem filhos.

O tempo dos casais *childfree* e solteiros sem filhos também é dedicado aos projetos e sonhos individuais; eles adquirem tanta relevância que acabam fazendo parte da família do casal ou da vida de solteiro.

Para essas pessoas, o projeto de vida adquire o mesmo grau de importância que os filhos representam para os pais. O sonho de um filho ideal, bem-sucedido e feliz, não é diferente de um projeto de sucesso para o casal *childfree* e para os solteiros sem filhos.

Cassiano Pereira Gomes diz:

"A namorada tem que ter o meu ritmo de trabalho e diversão, caso contrário não dá certo. Não namoro para casar, namoro para trocar afeto e carinho. Aviso sempre antes, se não dá confusão depois."

O projeto torna-se o filho do casal e do solteiro sem filhos.

O cuidado com o projeto é semelhante aos cuidados que os pais têm com uma criança. É claro que não existe o projeto perfeito, da mesma maneira que não há uma criança perfeita. Enquanto a criança precisa do amparo, o projeto exige atenção.

Por isso, o tempo, para os casais e os solteiros sem filhos, é mais subjetivo e visa ao prazer e à realização dos sonhos; para os casais com filhos, o tempo é objetivo e visa aos cuidados e à criação dos filhos.

As pessoas sem filhos buscam o próprio prazer em suas experiências; um pai ou uma mãe podem alcançar seu prazer por intermédio dos filhos, transferindo suas expectativas para eles. Conhecemos adolescentes que fazem o curso na faculdade que os pais desejam, o que poderá provocar frustrações e decepções a ambos.

A dúvida entre ter ou não filhos está repleta de implicações sociais e culturais e esbarra no inevitável orçamento familiar e no tempo que se pretende gastar com os filhos, que exigirão investimento e anos de dedicação sem descanso.

Viagem e lazer sem "neuras"

É maravilhoso acordar, pela manhã, em um dia ensolarado no final de semana, colocar as malas no automóvel e partir para uma viagem sem ter que se preocupar com os filhos. Não é preciso acomodar no veículo o carrinho de bebê, o *kit* da mamadeira, a sacola de sobrevivência do neném, os brinquedos das crianças as roupas extras dos filhos. Sempre fica algo para trás.

A viagem com filhos começa cheia de preocupações, desenrola-se de forma tensa e termina com as crianças dormindo no banco de trás do automóvel.

Casais com filhos afirmam que nós não temos ideia da aventura que é sair com crianças para uma viagem. A programação começa dias antes e os horários das refeições precisam ser respeitados por causa delas.

Os locais de passeio ou são adaptados ao gosto dos filhos ou são escolhidos pelas crianças. Os pais não suportariam uma viagem em que os filhos ficassem insatisfeitos, reclamando e chorando, fazendo chantagens emocionais e insinuando que estão sendo maltratados.

Quando o casal não vive essa realidade de crianças e adolescentes, viajar torna-se um prazer, sem as preocupações que os pais carregam. O lugar para a viagem é escolhido por dois adultos e o tempo de permanência durante as férias pode ser estendido, já que não existe a volta às aulas das crianças.

No final do ano passado, fomos à cidade de Curitiba. Fizemos a reserva do hotel pela internet. Decidimos ir de automóvel para termos liberdade de acesso aos pontos turísticos. Paramos na estrada e almoçamos no lugar e horário que achamos convenientes. Ao chegar ao hotel, que estava relativamente vazio, vimos que o apartamento era pequeno. Então, fizemos uma pesquisa na cidade e encontramos locais mais confortáveis com preços acessíveis. Comunicamos ao gerente que iríamos para outro hotel e ele prontamente propôs que ficássemos na suíte mais ampla do último andar, sem pagarmos a diferença de valor. Aceitamos e as malas foram transferidas para o andar de cima.

Quando vimos a enorme banheira, não tivemos dúvidas: nós a enchemos de água, colocamos essências perfumadas, abrimos a champanhe e ficamos imersos por horas na água.

Depois, saímos, à noite, para um bar com música e pista de dança. Voltamos com o céu clareando e o sol nascendo. No período da tarde, seguimos rumo aos pontos turísticos, sem horários para fazer a refeição ou retornar ao hotel.

Ficamos cinco dias na cidade, fazendo uma *tour*, visitando o comércio local e jantando em restaurantes com espaço reservado para dois. Em uma das noites, elaboramos um jantar à luz de velas. Então, decidimos estender nossa estadia por mais dois dias, até que voltamos para a casa.

Se fôssemos um casal com filhos, seria impossível fazer a viagem nessas condições.

Houve uma situação em Curitiba, quando passeávamos na praça central, casualmente: observamos um movimento de pessoas dirigindo-se ao teatro; por curiosidade, corremos pela rua e descobrimos que havia uma ópera iniciando-se naquele momento. Entramos no teatro e conseguimos usufruir da oportunidade de assistir à ópera *O Quebra-Nozes* gratuitamente.

Com filhos, os casais precisam se planejar, improvisando menos.

Um casal *childfree* e solteiros sem filhos podem viajar fora da temporada das férias escolares sem precisar reservar hotéis, conseguindo achar boas ofertas, o que filhos inviabilizariam. Imagine uma situação em que os filhos, junto com os pais, de mochilas nas costas, caminham em uma cidade estranha, falando outro idioma, procurando estadia pelas ruas sem nenhum planejamento anterior. Isso até pode acontecer, mas, convenhamos, é raro.

Em períodos fora de férias escolares, as passagens aéreas são mais baratas, os hotéis e as pousadas estão em promoção, a demanda de turistas é menor e o atendimento chega a ser personalizado no comércio.

Os casais *childfree* e solteiros sem filhos podem realizar viagens nacionais e internacionais com maior frequência; eles acabam tendo mais tempo disponível, além dos fatores de dupla renda do casal e de menores despesas com a família. Têm a possibilidade de vivenciar novas experiências durante a viagem e improvisar, se necessário.

Em vez de se dedicarem aos filhos durante a viagem, os casais childfree e os solteiros sem filhos se dedicam aos passeios privativos, podendo experimentar novas aventuras e até explorar a cultura local a seu bel-prazer.

A mudança é mais fácil sem filhos

Em uma ocasião, saímos com amigos e fomos a um barzinho conversar a respeito de quais seriam os motivos que levam um casal a não ter filhos. Foi uma verdadeira avalanche de razões levantadas. Foi unânime que a vinda de um bebê afetaria o relacionamento do casal. Certa vez, visitamos um casal que tinha acabado de ter um bebê: a mãe, S. M. C., com 29 anos, e o pai, A. C. A., com 33 anos de idade, ambos com formações universitárias e profissionais na área do direito. Percebemos que a dinâmica da relação entre eles havia mudado. Era difícil conversar com os dois ao mesmo tempo, já que um ficava pajeando a criança enquanto o outro preparava a mamadeira.

A mãe comentou que, durante a noite, o sono era interrompido pelo choro do bebê, levando ambos ao evidente cansaço físico e psicológico que demonstravam. A preocupação com o sustento do novo membro da família surgia como algo muito sério para o casal. O assunto daquele dia era exclusivamente sobre o bebê.

> Apesar de ouvirmos que o filho havia fortalecido o casamento, ficou evidente que a relação entre eles havia mudado. A criança tinha alterado a dinâmica da família.

Uma mãe dispensa atenção ao filho por anos a fio, colocando o marido em um segundo plano afetivo. Ele sente a mudança do afeto, a perda da atenção exclusiva da mulher. Em alguns casos, o homem percebe que será recompensado pelo nascimento do filho; em outros, poderá viver uma crise que pode até culminar na separação do casal. Isso não é diferente para a mulher, que poderá reclamar da falta de romantismo no casamento ou de que o marido não lhe dá o carinho merecido.

Para o casal com filhos, a atividade sexual diminui em função da criança, o romantismo se reduz a raros momentos, os passeios são mais contidos e os sonhos individuais, esquecidos. Os casais e os solteiros sem filhos colocam a atenção em diferentes situações, voltam os interesses a si mesmos, aos projetos individuais, ao carinho pelos animais domésticos, ao trabalho na empresa, aos estudos e aos encontros com os amigos. Cíntia Aparecida, 23 anos, publicitária, casada e sem filhos, observa que, em sua casa, tem

"(...) um cãozinho que eu chamo de especial. Ele é um vira-lata, mas tenho tanto apego por ele que o considero membro da família. Ele me distrai nos momentos de tensão. Atualmente, minha meta é fazer pós[-graduação] na minha área de atuação e terminar de reformar a casa. Tenho que conciliar trabalho e todas essas atividades. Ainda bem que o meu bichinho me relaxa, com tanta pressão no dia a dia".

As pessoas sem filhos não têm ninguém que dependa delas durante 24 horas por dia ao longo de anos e anos.

Se o projeto não der certo, você faz outro. Quando fica inviável manter a casa de praia, você a vende. Caso o trabalho não seja prazeroso, ou financeiramente não compense, você busca outro emprego ou monta um negócio, e, se entrar no curso errado na faculdade, você faz outro.

Filho não tem devolução nem troca. É para a vida toda. Os pais podem reclamar dos filhos, mas vão ficar com eles para sempre.

Se eu reclamar do meu chefe e decidir sair do emprego, é mais fácil tomar essa atitude sem filhos. O primeiro passo é sentar e conversar com a pessoa com quem eu convivo, ou, se eu for um solteiro sem filhos, fazer meus próprios planos; como não envolve terceiros, a decisão é tomada a dois ou sozinho. Pessoas sem filhos acabam vendo as mudanças com menos receio do que os casais com filhos. Não há a preocupação de matricular as crianças em uma nova escola caso se mudem de casa e, se começam em um novo emprego, não correm riscos em relação ao sustento das crianças. P. C. S., 47 anos, casado e sem filhos, professor universitário, espera que, quando se aposentar, possa investir as economias em uma pequena pousada:

"Assim que entrar com a aposentadoria, minha mulher e eu vamos para o litoral investir em uma pousada. Viver outra qualidade de vida, menos estressante do que a vida das grandes cidades. A praia foi uma ideia que sempre tivemos. Espero que isso se realize logo. Nossa família sempre foi pequena e há oportunidade de fazermos novos amigos em um lugar agradável, começando uma nova vida com o empreendimento."

Quando você decide ser empreendedor e montar um negócio, há sempre o risco do fracasso. Pessoas sem filhos arriscam mais. Se o empreendimento for um sucesso, você continuará dando atenção ao negócio; se fracassar, é levantar a cabeça e seguir em frente.

Pessoas sem filhos não têm a preocupação com a mensalidade da escola e com o plano de saúde das crianças, com o custeio das roupas infantis, das chupetas e das fraldas.

Além disso, ter filhos pode significar sacrificar ao menos duas ou três décadas com atividades que desagradam os pais, como ficar acordado durante noites e noites com o recém-nascido chorando; enfrentar todos os problemas de um filho durante a infância, pré-adolescência e adolescência e assumi-lo inclusive na fase adulta. Essa tarefa poderá somar muitos anos de esforços; afinal, o vínculo nunca se perderá.

Para pessoas sem filhos, o prazer vem em primeiro lugar.

Fazer o que de fato você deseja, ao lado da pessoa que você ama ou sozinho, torna a relação mais forte para o casal e dá sensação de liberdade para os solteiros.

A mudança para pessoas sem filhos é mais simples do que para os casais com filhos. Os cônjuges e os solteiros sem crianças planejam e trabalham em função da mudança; não há filhos para correrem riscos ou que dependam de uma maior estabilidade financeira dos pais.

Estilo de vida do mundo adulto

Ouvimos de casais sem filhos que eles não sentem vocação para a maternidade e a paternidade. Alguns haviam tomado a decisão de não ter filhos quando ainda eram adolescentes, e outros, durante o convívio no casamento. Eles sabiam que os filhos mudam os hábitos dos pais e alteram a rotina da casa, deixando o que antes se configurava como prazeres exclusivos de casal configurado em uma nova ordem orientada pelos filhos.

Se o pai e a mãe não mudam, quem sofre é a criança, que exige dos pais atenção e cuidados em todos os sentidos.

Letícia, dançarina de 40 anos, casada e sem filhos por opção, observa que, entre os amigos que têm filhos,

"as prioridades são voltadas para as necessidades das crianças e os assuntos giram em torno de suas descobertas e de seu universo: os horários de chegar e sair dos lugares, a alimentação, o primeiro passo... Já entre os casais que não têm filhos, vejo uma cumplicidade maior entre o casal, maior variedade de assuntos, mais viagens, responsabilidades diferentes".

Quando o bebê nasce, o casal fica olhando a vida "virar do avesso", em um mundo de chupetas, papinhas, carrinho de bebê, choros e gritarias e reclamações de adolescente; enfim, o casal carrega na bagagem um mundo de responsabilidades. Claro que, se houver o desejo do casal de ter filhos de modo consciente, assumindo os papéis de pai ou mãe sem resistência para esse propósito e percebendo a dimensão de tais papéis, de maneira positiva, o projeto de procriar será uma tarefa agradável e prazerosa, regada de amor.

Assim como se um casal sem filhos mantiver sua decisão de não tê-los, de comum acordo, de forma madura, sem desavenças pela escolha, os cônjuges terão maiores chances de não entrarem em conflito e a relação familiar poderá ser de amor, carinho e crescimento do casal.

O desejo dos cônjuges, seja ele qual for, deverá ser intrínseco, seguro de suas escolhas, tornando a relação do casal positiva, sem conflitos, ao menos nessa área.

Mas existem casais em que apenas um dos cônjuges deseja ter filhos, e o outro acaba cedendo ao desejo do parceiro ou da parceira. Nesse caso, é comum haver conflitos gerados pela escolha.

Vamos supor que um homem não deseje ter filhos, enquanto a mulher sonhe com a gravidez. Ele poderá responsabilizar a esposa pelos cuidados com a criança, poderá resistir em levantar no meio da noite para ver a razão da criança chorar; ou, ainda, poderá preferir ir ao futebol com os amigos, em vez de passar a tarde no *shopping* com a mulher comprando as roupas do bebê.

Em uma situação contrária, uma mulher vive um estilo de vida *workaholic*, trabalhando incansavelmente na empresa, e nunca desejou engravidar, mas cedeu à pressão do marido, que, ao contrário da esposa, sonhou em ser pai. Ela poderá não abrir mão de uma reunião de trabalho para ir buscar as crianças na escola ou permanecerá até tarde no escritório, colocando a responsabilidade dos cuidados da criança no marido ou em uma babá.

O mesmo poderá acontecer com um casal sem filhos por opção, que, apesar de não desejar filhos, acaba cedendo às pressões de ambas as famílias, gerando uma criança. O casal poderá sofrer sérios conflitos na relação, sentindo uma decepção pela escolha, considerada equivocada.

A decisão consciente não garantirá que o projeto de gerar ou não uma criança trará felicidade ao casal. Não há uma receita pronta, ainda que o projeto de ter ou não filhos seja amplamente discutido. Ter uma vida familiar saudável exige trabalho diário e dedicação dos membros da família, como uma rotina de vida renovada todos os dias.

Mas existem profundas diferenças na forma de viver e nas escolhas dos valores entre um casal que optou por ter filhos e um casal que optou por não tê-los, ainda que tomadas conscientemente.

Os casais ou os solteiros com estilo de vida orientado para o mundo adulto, que, por opção, decidiram não ter filhos, valorizam a liberdade e preferem fazer suas próprias escolhas referentes ao cotidiano sem abrir mão de seus hábitos. Não querem nenhum tipo de adaptação em suas vidas que envolva um terceiro membro na família. Sabem que filhos mudam a rotina da casa para o mundo das crianças e adolescentes. O casamento poderá cair na monotonia entre os cônjuges, desgastando a relação do casal ao criar um cotidiano voltado exclusivamente aos filhos.

O casal Silvia de Castro, 35 anos, arquiteta, e César Augusto, empresário de 40 anos, ambos sem filhos, comenta:

"O César e eu adoramos dormir até mais tarde no domingo. Trabalhamos duro durante a semana e no sábado saímos com os amigos ou ficamos em casa assistindo a filmes até tarde da noite. Às vezes, inventamos algo novo, como pegar o carro e viajar sem destino, ou organizamos uma festa em nossa casa. Um filho sem dúvida mudaria a nossa rotina."

Os pais seguem a rotina dos filhos. Por exemplo, ir ao restaurante sem os filhos será considerado um evento, mas levar as crianças ao *shopping* poderá ser a rotina do domingo.

Conversando com pessoas casadas há dez anos no estilo de vida *childfree*, percebemos que a relação entre os casais foi construída com cumplicidade e que a experiência dos cônjuges é conhecida pelo tempo de convivência. A individualidade do casal não seria trocada pela procriação ou adoção de crianças. Eles trazem a segurança na decisão de não serem pais e valorizam o prazer do mundo adulto. Podem investir em um novo empreendimento e realizar o curso tão sonhado sem as preocupações que os pais teriam, ou ao arriscar o futuro da família com investimentos incertos, ou com o tempo que um curso de longa duração tomaria de suas vidas, afastando-os dos filhos.

C. M. V., 45 anos, e P. C. S., 47 anos, casados, ambos professores universitários sem filhos, declararam que:

"Optamos por não ter filhos. Passamos o tempo saindo para passeios, indo ao teatro, museu, restaurante, cinema, lendo livros e fazendo um 'pé de meia'. Trocamos as obrigações de pai e mãe por um estilo de vida que nos desse liberdade e respeitasse a nossa individualidade."

Quanto aos casais com até três anos de casamento que optaram por não ter filhos, eles demonstraram, durante nosso contato, o respeito e a valorização da individualidade do cônjuge. E, por estarem casados há pouco tempo, a vivência a dois foi considerada uma nova experiência e a liberdade passou a ser priorizada pelos casais. Hoje, sentem que podem tomar decisões apenas consultando o cônjuge.

Cíntia Aparecida, 23 anos, publicitária, e José Pedro, 25 anos, ator, são casados e não têm filhos. José Pedro observa:

"Não mudaríamos em nada a nossa vida, fizemos a opção que achamos melhor. Podemos passear, viajar, ter amigos, conhecer novas pessoas, e o melhor: sem horário para voltar para casa. É uma liberdade que a Cíntia e eu não trocaríamos por nada."

Os casais sem filhos com os quais conversamos valorizam a liberdade para fazer o que querem e quando querem e acreditam que é importante experimentar sensações inusitadas, conhecer novos amigos, visitar lugares diferentes, comprar produtos que desejam e realizar sonhos.

Eles reconhecem que a liberdade é um bem maior e não abrem mão desse estilo de vida. Encaram a opção de não ter filhos como uma conquista social, respeitando os prazeres e os interesses individuais do casal.

Superpopulação e recursos escassos

A população mundial de 2011 é de 7 bilhões de habitantes[15]. Cientistas têm discutido o problema da escassez dos recursos naturais, como água, luz, petróleo, gás, minério, alimento e outros.

Os estudiosos da área indicam que existem dificuldades na política internacional de produção e de distribuição de alimentos para toda a população do planeta. Por um lado, o número de nascimentos cresce em países subdesenvolvidos; por outro, a expectativa de vida tem aumentado em nações desenvolvidas, embora o número de nascimentos se reduza em muitas delas.

Há recursos naturais que podem substituir alguns produtos, reduzindo a escassez. Todavia, isso leva tempo e exige interesses políticos para diminuir as desigualdades sociais.

A superpopulação criou outro vilão, a poluição, considerada hoje um fenômeno de grandes proporções, preocupando cientistas.

O Brasil produz mais de 100 mil toneladas de lixo por dia[16].

A taxa de poluição do ar e a contaminação da água têm-se agravado em cidades urbanizadas, a extinção de algumas espécies animais tornou-se irreversível, o aquecimento global aumentou, as calotas polares estão derretendo; enfim, temos uma enorme cratera de problemas aberta no planeta.

Na floresta amazônica, as queimadas atingem níveis alarmantes de destruição. O Instituto Nacional de Pesquisas Espaciais (INPE) divulgou que em 2007 dobrou o número de queimadas nas florestas amazônicas em relação a 2006. Para se ter uma ideia da gravidade do problema, em 2006 foram detectados cerca de nove mil focos de incêndio; em 2007, houve mais de 17 mil focos. Mesmo havendo monitoramento por satélites e aviões, grandes áreas continuam, ainda hoje, sofrendo com a destruição da mata em várias regiões.

Qualquer ambientalista traz no bolso uma lista de itens que destroem o meio ambiente.

Então, alguns se perguntam: "Por que nos reproduzirmos se estamos vivendo crises ambientais e sociais tão graves?"

Um mundo com superpopulação cria também mais violência, gerando alto grau de sofrimento nas famílias, como nos casos de pedofilia, sequestro e assassinato de crianças e adolescentes que acompanhamos na mídia.

O diretor executivo do Fundo de População das Nações Unidas (UNFPA), Babatunde Osotimehin, declarou que a marca de sete bilhões de habitantes no planeta é um alerta para que as lutas por distribuição social justa, planejamento familiar, educação e necessidades básicas como alimento, água e meio ambiente sejam vistos de imediato por autoridades no mundo, em uma situação emergencial[17].

Há casais e solteiros que decidiram não terem filhos, justificando suas razões sob os argumentos de que vivemos em um mundo imoral, que a cada dia perdemos o espírito de humanização, sem as noções básicas da preservação ambiental e o mínimo de respeito ao próximo.

Alessandra, 23 anos, solteira sem filhos, estudante de comunicação e estagiária, observa:

"É só ligar a televisão e você já vê o mundo como está. É a crueldade das mães, meninas de 13 anos engravidando, casos de pedofilia, violência com menores. Acho arriscado trazer um filho para um mundo tão insano".

Por muito tempo pensou-se que a preservação da espécie humana dependesse da procriação, mas hoje é discutido na sociedade que a decisão de não ter filhos tornou-se uma realidade para a preservação da nossa espécie.

Na crise das necessidades básicas de sobrevivência do planeta, pessoas têm se manifestado favoráveis a um maior controle sobre a reprodução humana em defesa da preservação da vida.

O filósofo Schopenhauer acreditava que a felicidade seria não nascer. Ele não dizia que a vida deveria deixar de existir, mas que o mundo é cruel demais, imoral demais, para que uma criança venha nascer.

Como um casal sem filhos, vemos a destruição do planeta sem maiores ações por parte da sociedade e dos governos. A insistência dos ambientalistas para que as medidas emergenciais no ambiente sejam tomadas é alarmante.

O descaso com o meio ambiente e a violência social incorporou-se ao cotidiano das nossas vidas. Assistimos aos documentários na mídia de jovens e crianças vítimas de violência, pais desesperados com seus filhos ameaçados nas escolas, crueldade humana com os animais, destruição das florestas; como se o desenvolvimento na sociedade justificasse atos de destruição contra o ambiente e o homem.

No caminho da fronteira entre o Quênia e a Somália, cadáveres de bebês e crianças são encontrados na estrada. As famílias saem das aldeias destruídas pela seca e seguem viagem até o acampamento mais próximo de refugiados. Famintas e sedentas, as crianças menores não resistem e caem ao chão, enquanto as mães sem forças não conseguem socorrer os filhos, que acabam sendo deixados para trás.

As mães não têm a intenção de abandonar seus filhos, como pode parecer. Elas mal conseguem seguir viagem com fome e sede ao lado dos parentes; como última esperança, essas mães buscam a ajuda de alguém na estrada ou tentam chegar a um dos acampamentos de refugiados, como o de Mogadiscio, na capital.

Se a nossa própria casa está ameaçada de ruir, qual motivo haveria para uma pessoa ser convidada a entrar nela?

Se não tivemos filhos, foi pelo excesso de zelo.

O século XXI herdou o ônus das gerações anteriores referente à destruição da natureza e à irracionalidade do homem contemporâneo. O desrespeito aos valores humanos e éticos na sociedade pode ser visto nas crianças desnutridas que agonizam em alguns países do continente africano, nos bebês abandonados nas ruas e nas lixeiras do Brasil, nas crianças menores sendo vendidas por traficantes e usadas como mão de obra escrava pela produção de algumas fábricas em vários países. Esse triste cenário levou as autoridades nacionais a criarem o Estatuto da Criança e do Adolescente (ECA), instituído em 1990 no Brasil.

De qualquer modo, a criança é muito vulnerável e sensível para viver situações desumanas. Esses tristes fatos vêm conquistando espaço nas sociedades de vários países, desafiando a integridade e o respeito humano.

Prazer dos casais e solteiros sem filhos

Os filhos exigem tamanha atenção e cuidado dos pais, que o desejo de realizar atividades pessoais consideradas prazerosas fica inibido frente às obrigações maternas e paternas assumidas.

Para os casais e para os solteiros sem filhos por opção, o divertimento, a segunda lua de mel, a decoração da casa, a leitura de um bom livro, a prática de esportes e o jantar romântico se tornam prioridades em suas vidas.

Para Silvia de Castro, 35 anos, arquiteta, casada e sem filhos:

"Meu marido e eu estamos planejando a nossa segunda lua de mel. Depois, vamos visitar lugares que sempre sonhamos. Se tivéssemos filhos, você acha que ele e eu ficaríamos tranquilos deixando as crianças com alguém? A lua de mel seria um amontoado de preocupações pensando nos filhos."

O impulso do casal *childfree* e dos solteiros sem filhos em viver a sensação agradável de desfrutar do prazer sem restrições de horários, livres das atividades maternas e paternas que os casais com filhos normalmente têm em família, passa a ser considerado importante para o estilo de vida deles.

Os casais e solteiros sem filhos valorizam a satisfação individual.

Jaqueline, 21 anos, estudante de publicidade e propaganda, solteira e sem filhos, nos disse:

"Tento fazer tudo o que eu gosto. Sair com as amigas para as 'baladas', paquerar, ficar plugada na internet. O que eu mais gosto é de inventar receitas em casa; minha mãe fica maluquinha me vendo na cozinha, mas ela e meu pai adoram minha comida. Não tenho intenções de ser mãe. Meu objetivo é ser uma profissional e ter meu próprio cantinho. Não é porque meus pais tiveram filhos que eu sou obrigada a ter filhos. Vou pela minha cabeça."

Há uma variedade de divertimentos que casais e solteiros sem filhos preferem. Nesse sentido, procuramos exemplificá-los a partir da imagem da casa, onde os cônjuges ou solteiros partilham de seus momentos íntimos em um lugar de prazer e divertimento.

A casa deixou de ser apenas a moradia da família para se tornar um estilo de vida, expressando a personalidade dos donos, o que é muito valorizado por casais *childfree* e solteiros que moram sozinhos. Eles buscam decorar o lar imprimindo a estética pessoal em cada ambiente, reservam espaço para a socialização de amigos, usam a cozinha como um local de *status* e cultura e procuram imóveis mais compactos, próximos ao comércio, com transporte facilitado e opções de lazer.

Segundo o Centro de Altos Estudos da Propaganda e Marketing, em parceria com a Toledo & Associados, entre 2006 e 2012 haverá um aumento de mais de 50% no número de domicílios de casais sem filhos no país, o que vem chamando a atenção de construtoras e imobiliárias para esse público.

O investimento dos casais e solteiros sem filhos na decoração e no paisagismo da casa se justifica, já que não há o quarto das crianças para decorar.

Os homens que têm o prazer de cozinhar gostam dos elogios dos amigos sobre a elaboração dos pratos; outros opinam sobre a decoração dos ambientes, escolhendo os móveis com as esposas e demonstrando interesses pelos afazeres domésticos. Além disso, devido à vida moderna do casal e dos solteiros que trabalham fora, sem tempo para cozinhar durante a semana, alguns pratos são práticos e rápidos, como as refeições pré-preparadas vendidas em supermercados.

A mudança do conceito de produtos meramente funcionais da casa para conceitos sofisticados, criando itens que geram prazer no consumo, despertou o interesse dos homens por decoração, culinária e jardinagem.

José Carlos, 42 anos, gerente de tecnologia, casado e sem filhos, declara:

"Depois que aprendi a cozinhar, gostei da brincadeira e comecei a me especializar em pratos mais sofisticados. Meu *hobby* é receber os amigos e fazer um bom prato. A cozinha acabou se transformando no ambiente mais importante da casa para mim. O preconceito de que homem não entra na cozinha acabou. Hoje, ele faz atividades que eram apenas delegadas às mulheres. E posso afirmar que os homens são os melhores *chefs* de cozinha do mundo".

Os casais sem filhos e os solteiros que moram sozinhos possuem razões mais fortes para exporem esse tipo de comportamento: não há crianças ou adolescentes que marcam seus territórios dentro da casa, a cozinha não é transformada em *playground* e o quarto nunca será um depósito de brinquedos; ao contrário, o conceito de casa passou a ser de um local de sofisticação, entretenimento, reunião de amigos e beleza estética.

Os programas de televisão do gênero "casa, decoração e culinária", em sua maioria, são apresentados por homens, e a pesquisa de audiência tem demonstrado altos índices entre os casais e solteiros.

Hoje, existem solteiros que se interessam pelos cuidados da casa onde moram, como também há maridos que buscam discutir com a esposa sobre as peças decorativas para a sala, sobre as flores plantadas no jardim e sobre o projeto da cozinha planejada, definindo a participação masculina no que era considerado território exclusivamente feminino.

Alguns casais e solteiros acompanham programas de culinária na televisão. Eles assistem a quadros que mostram a elaboração de jantares românticos com vinho e pratos especiais. Isso pode motivá-los a trabalhar na cozinha por horas a fio, sem medir esforços, despreocupados com o tempo gasto e degustando desse prazer memorável, começando com os preparativos do prato principal e terminando com o arranjo das velas acesas na sala de jantar e com a garrafa de vinho sobre a mesa.

Cíntia Aparecida, 23 anos, publicitária, casada e sem filhos, revela que adora

"ser surpreendida com um jantar romântico organizado pelo Pedro. A mesa arrumada, a 'musiquinha' ao fundo, velas espalhadas, vinho, tábua de queijos... Reacende a paixão. O casamento precisa desses motivos para se renovar. Sempre tentamos algo novo pra quebrar a rotina".

A noite da *pizza* para os amigos, sem a presença de crianças, propicia aos convidados passarem a madrugada juntos, livres das obrigações maternas e paternas, conversando, brincando com jogos e ouvindo música sem horário para ir embora, podendo até mesmo dormir no quarto de hóspedes.

Como não existe a mamadeira e nem a "papinha" do bebê, os interesses voltam--se para a satisfação dos adultos, degustando vinhos e receitas.

Com crianças correndo pela casa e o neném engatinhando no chão, seria difícil elaborar um jantar especial, romântico, com vinho. Não haveria clima. As crianças reclamariam se deixassem de comer as batatas fritas e de tomar o refrigerante. Elas assistiriam a um filme infantil na sala, pulando no sofá. A decisão entre um estilo e outro fica a cargo das pessoas, seja pelo trabalho doméstico, seja pelo prazer em criar na casa um ambiente aconchegante, o qual refletirá a personalidade do dono.

Os prazeres do casal *childfree* e dos solteiros sem filhos que moram sozinhos podem ser variados e diferentes entre si, mas a sensação aprazível e de satisfação pessoal é valorizada e aceita como uma das prioridades na vida.

Poderíamos relacionar uma infinidade de motivos que levam solteiros e casais a não ter filhos. Mas acreditamos que as razões acabam sendo uma mistura dos motivos e não um motivo isolado (ainda que um deles seja considerado o principal).

Como, por exemplo:

Procurar o par ideal poderá representar uma frustração quando descobrimos que a pessoa que amamos não é exatamente como imaginávamos; uma pessoa nunca será como a idealizamos, ela tem suas características, e, na maioria das vezes, parte do que projetamos em alguém gera uma profunda frustração. Achamos que a pessoa amada não corresponde às nossas expectativas. Essa razão poderia justificar um dos motivos pelos quais alguns casais acabam optando por não terem filhos, não apostando no cônjuge para assumir o papel de pai ou mãe, não vendo a pessoa como alma gêmea, como foi idealizada.

Essa situação poderia ser considerada, dentre outras, um dos motivos para os casais optarem por não terem filhos.

Há outros exemplos, como:

- ♦ Atendimento precário nos hospitais públicos;
- ♦ Falta de estabilidade financeira do casal;

- Carência da segurança pública no combate à violência infantil e à violência contra o adolescente;
- Trabalhos que exigem viagens frequentes do casal, que passam meses fora do lar;
- Aversão do adulto em relação a crianças e a estar em conformidade com as obrigações socialmente definidas para o exercício dos papéis maternos e paternos;
- Medo de sofrer riscos durante a gravidez e das doenças que ameaçam a infância;
- Temor da perda da intimidade do casal durante a gravidez e após o nascimento dos filhos;
- Não encontrar uma razão suficientemente forte que venha a justificar os motivos para procriar e cuidar dos filhos, dentre outras razões.

Diante dos motivos descritos, em nossa visão, as oportunidades de carreira profissional, de formação educacional, de poder aquisitivo, de viagens culturais e de entretenimento podem ser melhor aproveitadas pelos casais e pelos solteiros sem filhos, embora existam casais com filhos que também venham a usufruir das mesmas oportunidades que surgem para eles ao compartilharem das obrigações e dos prazeres com a família, o que nem sempre acontece.

O que define "encontrar a oportunidade", para uma pessoa, é a personalidade, que pode ser aventureira, empreendedora, romântica, intelectual, conservadora ou liberal, assim como podem ser os valores e as crenças socioculturais adotados ao longo da vida, que refletem o estilo individual sem restrições em razão de se ter filhos ou não.

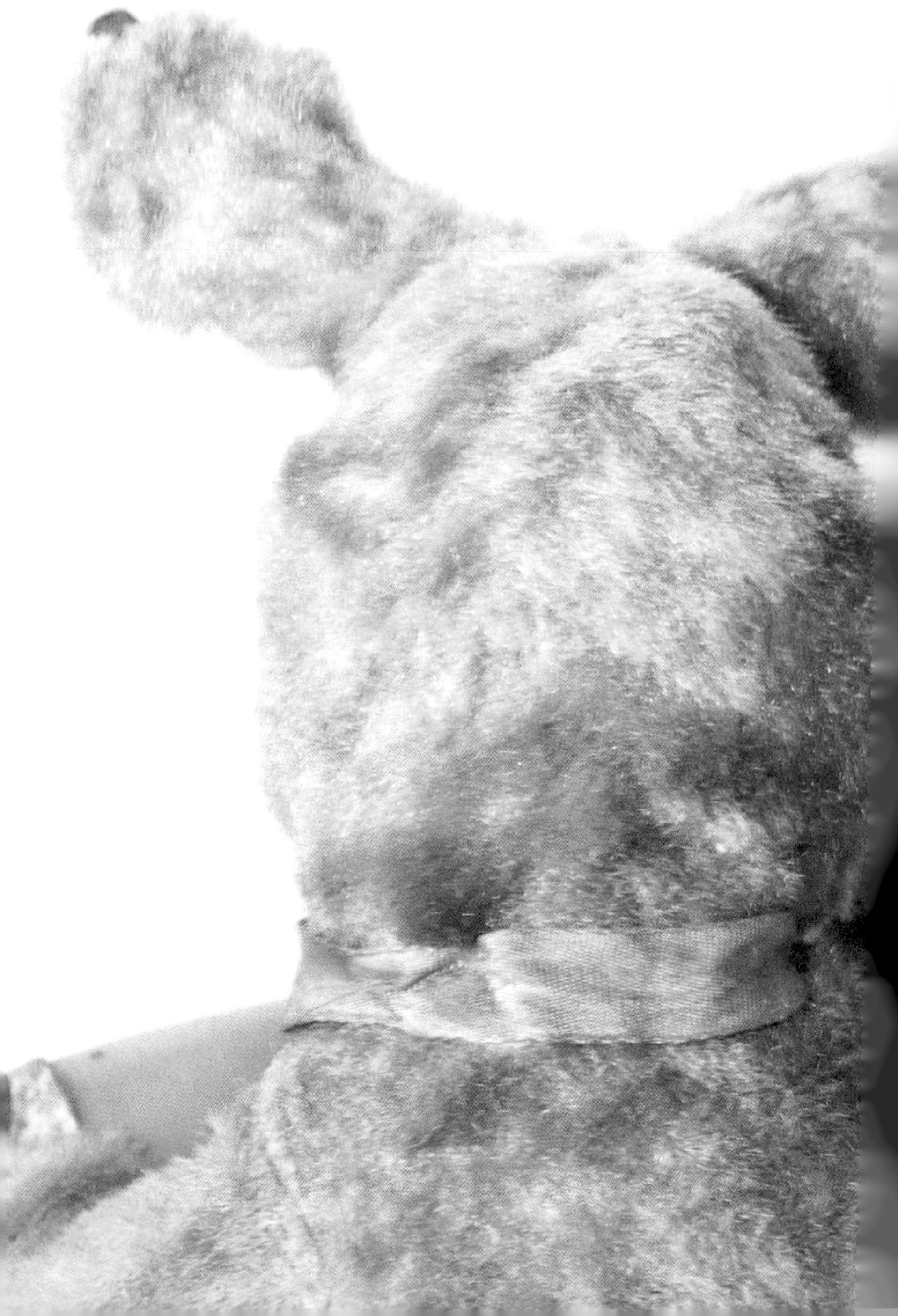

capítulo 3
era uma vez ter filhos na "família perfeita"

CAPÍTULO 3
Era uma vez ter filhos na "família perfeita"

Houve uma época em que a família somente era considerada família se gerasse filhos. Esse padrão de comportamento do casal era o grande sentido da ligação entre as pessoas no casamento.

Hoje, existe uma quantidade considerável de casais sem filhos, somando os que optaram por não tê-los, aqueles que, por questões biológicas, não podem procriar, os divorciados e os separados sem filhos, os casais homossexuais e os casais heterossexuais que não adotaram crianças, os solteiros que moram sozinhos e os filhos com mais de 30 anos, que continuam morando com os pais.

Dois dos arranjos familiares que mais crescem no país são os de casais sem filhos e os de solteiros que moram sozinhos.

Os casais sem filhos possuem uma significativa representação social que não é claramente percebida pela cultura e nem destacada pela mídia como deveria. O que existe no imaginário da cultura familiar ainda está preso ao velho modelo de família com filhos.

A concepção de que família é um grupo de pessoas ligadas por descendência a partir de um ancestral comum, seja diretamente, seja por adoção, se confunde com o conceito de clã da época colonial do Brasil, na qual uma verdadeira legião de pessoas convivia na mesma casa sob o mando do patriarca: filhos, apadrinhados, parentes próximos, mulher, amante, marido da amante e escravos.

Não estamos mais vivendo dessa forma; porém,

> A concepção de que os filhos criam uma extensão na formação de um casamento ainda é plenamente admirada pela nossa cultura.

Havia um publicitário que dizia: "Se você não tem uma ideia para a campanha, coloque uma criança ou um cãozinho que o produto vende". Pode parecer um insulto, mas é a verdade. As pessoas ficam seduzidas por crianças e animais domésticos; rendemo-nos ao ver campanhas publicitárias que mostram crianças sorrindo, bebês engatinhando, as peripécias dos pequeninos e os trejeitos das meninas. A inocência infantil destaca qualquer marca anunciada. Essa aura ao redor da criança nem sempre esteve presente no conceito de família. É uma crença relativamente nova.

> Conhecendo a História, teremos uma noção mais clara de que a definição de família está baseada na reprodução dos filhos entre duas pessoas. E, se não houver filhos no casamento, o casal não é considerado uma família completa e plena em suas funções. É contra essa ideia que nos colocamos.

No século XII, durante a Idade Média, os trovadores cantavam o amor cortês[18]. Amor para a elevação espiritual, sem os prazeres carnais. Idealizava-se a mulher amada, a qual jamais seria tocada. Era o amor platônico – sem filhos.

Quando havia a união em estado de matrimônio, a finalidade única era a celebração de um contrato comercial; o casamento arranjado entre os noivos contabilizava os bens materiais que as famílias possuíam. Os filhos fortaleciam o poder e as posses de duas famílias que se uniam. Assim, os futuros herdeiros mantinham as riquezas concentradas, aumentando a influência das famílias na sociedade e consolidando o sobrenome do homem.

Enquanto a esposa era submissa ao marido, reverenciando-o, ele esperava dela a fidelidade e a devoção totais. Portanto, o casamento servia tanto aos propósitos da Ordem Religiosa Católica relativos ao controle do comportamento social, segundo a moral cristã – fornecendo a base espiritual do temor e devoção a Deus –, como ao objetivo do Estado de manter a ordem na sociedade por meio das diferenças das classes sociais, em que miseráveis seriam miseráveis e nobres seriam nobres.

Apesar do papel de destaque dos filhos na família ter-se iniciado no período do Romantismo, as relações com os filhos não se pareciam em nada com as que conhecemos hoje.

Havia as mulheres conhecidas como amas de leite, que amamentavam os recém-nascidos. Os cuidados com higiene eram escassos – os bebês ficavam, por longos períodos, sem serem limpos e trocados; não existia assistência médica adequada.

A maioria das mães de situação financeira privilegiada e/ou detentora de título de nobreza não tinha o menor prazer em cuidar do filho, deixando-o longe delas por longos períodos. Nos funerais de crianças de até cinco anos de idade, não havia sequer o comparecimento dos pais. Durante essa época, o sentimento infantil era menor, a cultura não estava voltada aos valores da maternidade. A criança ocupava uma posição de pouca relevância na estrutura familiar.

Apenas durante o movimento do Romantismo, no século XVIII, após a Revolução Francesa (1789), é que a importância da instituição familiar agregada pelo amor foi reconhecida.

Sonhar com alguém a quem se ame e viver ao seu lado pelo resto da vida em uma entrega completa de emoção e de alma, "até que a morte os separe", foi a forma de amar que nos levou a construir os valores da família como se fossem um símbolo sagrado, mantido até os dias atuais.

O valor atribuído ao amor entre o casal e ao amor sagrado pelos filhos é algo recente.

Os longos períodos de guerra durante os séculos e as crises socioeconômicas contribuíram para a ausência da procriação[19], de modo que os cuidados maternos tornavam-se difíceis em momentos de batalha, o que era seguido pelos problemas de alimentação, moradia, higiene e segurança.

Os filhos, na era contemporânea, esperam dos pais o amor incondicional; os pais respondem a esse amor, muitas vezes sem impor limites aos filhos, tornando-os voluntariosos e desrespeitosos, dominando a dinâmica familiar, impondo suas vontades e não se importando com a família. Essa falta de limite, que se confunde com o amor, pode motivar a criança ao comportamento individualista, de caráter egoísta, sem enxergar os sentimentos alheios.

Outro exemplo são as camadas populares de baixa renda, sobretudo nas áreas rurais, nas quais, atualmente, os filhos assumem o significado de capital econômico – eles são mão de obra na terra, ajudando na sobrevivência familiar, dando aos pais o rendimento econômico e a segurança na velhice. Quanto mais filhos, maior o número de trabalhadores.

Enquanto o pai concentra a prole no trabalho, administrando como um pai-chefe as atividades rurais[20], a mãe faz o papel de educadora das filhas nas atividades do lar, preparando as jovens para os futuros maridos.

A mulher, sem perspectivas de atividades fora da casa, vivendo em condições precárias, não percebe outro modo de realização a não ser pela maternidade e pelos cuidados do lar e do marido como uma dona de casa.

As formas de amar não são as mesmas de uma época para outra, nem nas diferentes culturas. Quando ouvimos alguém dizer que não sente esse "amor romântico", julgamos que essa pessoa não ama de verdade.

Se um casal optar por não ter filhos, ele poderá ser julgado por egoísmo, sendo incapaz de amar uma criança.

Nos tempos atuais, a mídia tem grande influência no padrão de comportamento para o modelo de amar, com as telenovelas "água com açúcar", as revistas de pais e filhos, as campanhas publicitárias com crianças, os programas de entrevistas com os filhos das celebridades, os filmes românticos e as músicas melosas.

Mulher sem filhos não se realiza: verdade ou mentira?

Maíra Spanghero, 41 anos, professora universitária, ainda não se decidiu sobre ter ou não ter filhos. Ela nos disse:

"Pensando muito sobre o assunto e perguntando para toda mulher que encontrava se ela era mãe e, se ela pudesse voltar no tempo, se ainda faria a mesma escolha... percebi que havia aquelas que não teriam filhos se voltassem no tempo e outras que teriam mil vezes (sic). Percebi que a decisão não passava por uma opção racional, mas, sim, em torno do desejo de ser ou não mãe. No meu caso, entendi que eu não desejo ter um filho, simplesmente. Eu desejo uma família".

Ela percebe que os filhos estão associados a um modelo de vida, e que abrir mão de tê-los leva a repensar o modelo padrão de vida adulta. Mesmo ainda repensando a ideia tradicional de família associada à opção de ter filhos, ela reconheceu: "tenho amigos e primos que considero muito minha família (sic), inclusive conto mais com eles do que com meus dois irmãos de sangue".

Mariana, 47 anos, advogada, priorizou os estudos e o trabalho e não se arrepende de não ter tido filhos. Para ela, uma vida com filhos pode "ser mais rica em termos de troca, mas mais escassa em termos de tempo. Tenho irmãos, tenho sobrinhos, tenho minha mãe. Tenho parentes de segundo e terceiro graus. Tenho uma família. A participação dos amigos em minha vida é muito expressiva. O espaço-tempo dedicado aos amigos é de grande importância".

Nos sites de frases e mensagens na internet, encontramos um pensamento anônimo fazendo apologia ao mito de mãe. Citamos um fragmento desse pensamento chamado "Ser Mãe":

> Ser mãe não é apenas carregar no ventre, por alguns meses, um óvulo fecundado;
> Ser mãe não é somente passar pela dor cruciante de trazer um filho ao mundo;
> Ser mãe não é simplesmente dar o alimento, vestir e cuidar do físico e dos estudos;
> Ser mãe não é embonecar uma criança, fazendo dela um enfeite, um "bibelô";
> Ser mãe é muito mais do que isso!
> Ser mãe é dividir o que se tem, sempre priorizando os filhos;
> Ser mãe é ser feliz somente por ser mãe![21]

Esse pensamento chamou nossa atenção pelo fato de que o mito da "mãe perfeita" perpetuou-se em nossa cultura em pleno século XXI e de que esse ideal continua sendo disseminado por intermédio de um dos meios de comunicação de massa mais modernos que temos: a internet.

A "mãe perfeita". Quem é essa mulher?

Vamos discutir por que a cultura passou a valorizar tanto a maternidade, por que gerar a vida tornou-se o poder da criação para a mulher neste século.

Afinal, desde quando esse poder foi atribuído a ela?

Durante a ascensão da burguesia na Europa, dos primórdios da Revolução Industrial até a sua consolidação no século

XVIII, pensadores criaram um novo modelo de sociedade, com ideias que representavam as mudanças culturais, políticas e econômicas no berço da revolução europeia.

À época, o homem era visto como livre para toda riqueza social, cultural e natural, segundo os princípios de liberdade dos iluministas. A nação prosperaria e o poder do Estado teria o apoio do homem, com base nos direitos que a ele haviam sido atribuídos.

A Revolução Industrial necessitava desse homem livre para trabalhar e prosperar junto com o Estado. Era preciso gerar filhos que se tornassem trabalhadores e fossem vistos como o símbolo da riqueza econômica da nação, de forma que algumas crianças começariam a trabalhar por volta dos seis ou sete anos de idade, e outras, ao longo de seu crescimento.

Mas, para que essa mudança fosse possível, era preciso reformular as crenças e os princípios sobre a procriação e o cuidado com os filhos. Esse foi um dos elementos que ajudaram a conduzir uma profunda transformação na família, criando um modelo de mãe que não existia, até então, na cultura.

A dedicação aos filhos no cuidado materno foi fomentada por novas crenças: a maternidade seria vista como vocação do instinto e tarefa obrigatória da mulher.

O que não se sabia, na época, é que essa crença atravessaria os séculos e estaria presente até os dias atuais.

Muitos pensadores e homens de influência na sociedade contribuíram com novas ideias; dentre eles, chamamos a atenção para o filósofo Jean-Jacques Rousseau, que, com o livro *Émile*, escrito em cinco volumes, em 1762, formulou uma nova referência de relação entre a educação das crianças e a sociedade adulta, que em grande medida ajudou a construir os alicerces de família, filhos e maternidade para o pensamento da época.

Queremos ressaltar que a filósofa francesa Elisabeth Badinter realizou um importante estudo sobre o "mito do amor materno", que nos serviu como base para discutir este tema[22].

E a mulher no século XVIII era diferente da mulher do século XXI?

A mulher deveria ser a mãe perfeita: ela faria os sacrifícios para as crianças, deixando sua vida relegada a um segundo plano. A religião pregava a crença de que Deus havia dado ao ser humano uma vida feliz, em estado de graça, semeada pelo amor na família. A mulher deixaria de ser a tentação diabólica do Paraíso e passaria a ser a santa que conceberia a vida dos filhos.

Nesse período, a valorização da natureza serviria como fonte de argumentos pró-maternidade. A mãe seria venerada como um ser divino, que carregaria a semente do amor sagrado no ventre, criando assim um estreito vínculo com a natureza. Ela se tornaria o próprio símbolo da natureza, revelando ao mundo o sentimento do amor incondicional, do afeto aos filhos, da felicidade de ser mãe como uma dádiva recebida do Céu.

O casamento, que, nessa época, não era mais arranjado para fins econômicos e políticos entre as famílias, passaria a ser de livre escolha entre os parceiros, valorizando, desse modo, o amor romântico do casal e os sentimentos humanos, em consonância com os diretos de liberdade e a suprema crença na natureza humana.

A casa dos cônjuges seria o abrigo dos afortunados, o refúgio seguro da família, fortalecida pelo nascimento dos filhos. O marido que percebesse na esposa as qualidades de boa mãe, empenhada nas prendas domésticas e dedicada à família, sentiria orgulho da esposa. Ele seria fiel à mulher e retornaria ao aconchego do lar.

A concepção de casamento, lar e maternidade mudariam radicalmente, sendo muito similares às crenças que existem hoje em nossa cultura.

O instinto da natureza também seria valorizado na mulher. A mãe seria uma fêmea que sentia prazer em reproduzir; a dor do parto viria a ser o sacrifício do amor que ela possuía. A mãe representaria o ideal da natureza que a religião defendia e o princípio de liberdade e igualdade que os pensadores formularam.

A maternidade estaria acima do egoísmo e amamentar seria uma tarefa sagrada da mulher, que a tornaria bela e saudável. A mãe passaria a ser recompensada pela natureza com sua beleza materna, abençoada com a felicidade e glorificada por ser mãe. A sociedade a reconheceria como uma mulher bem-aventurada.

Seus seios não lhe serviriam para a beleza, mas para amamentar os filhos. O ventre não seria voltado ao prazer com o marido, mas para procriar a prole. Assim, a mulher estaria fazendo o papel de mulher-fêmea na cultura, agindo segundo a moral da época ao reproduzir e cuidar dos filhos como uma boa mãe deveria fazer.

Ela seria comparada aos animais, ouvindo vários exemplos da forma como as fêmeas cuidam bem de suas crias, amamentando e protegendo os filhotes sem medir esforços. E aceitaria a partida das crianças de casa (como também as fêmeas se desvinculam de seus filhotes) para que elas trabalhassem, como garantia da prosperidade econômica da nação, fosse nas indústrias dos centros urbanos, fosse no campo das zonas rurais.

A mãe também assumiria o sacrifício em trocar sua liberdade pela liberdade dos filhos e passaria horas ao lado das crianças, não se importando com o tempo dedicado. O sacrifício seria a glória divina, reconhecido tanto pela Igreja como pelo Estado.

Ela adquiriria um papel fundamental na nação como procriadora da maior riqueza econômica da sociedade: o filho. Isso elevaria a mulher a um *status* social de poder sobre outros seres humanos, no caso, os próprios filhos e toda a economia da nação.

Ela contaria ainda com a fidelidade do marido, que a respeitaria pelo papel social que desempenharia com a casa e as crianças.

A mãe chegaria a educar os próprios filhos em vez de enviá-los aos colégios internos, porque não se admitiria mais que eles se afastassem dos pais. A mulher assumiria a educação das crianças na casa, e toda a relação entre o filho e ela aconteceria na intimidade do lar, sendo eles dois cúmplices vinculados pela natureza.

O Estado necessitaria da mulher para prosperar política e economicamente, mas ela teria que ser orientada pela Igreja e pelos manuais publicados sobre os cuidados com a higiene e a saúde dos filhos. O Estado e a religião estabeleceriam a condução da moral na família.

Essa situação colocaria a mulher em um dilema: ser livre como mãe e respeitada na sociedade ou punida por não seguir as regras da maternidade e por ter atividades fora do lar.

Ela seria pressionada pelo marido e por toda a comunidade. Os olhos da sociedade estariam voltados para a mulher, vigiando sua principal função: a de ser mãe.

❖❖❖❖❖❖❖❖❖❖

Chiquinha Gonzaga foi uma mulher que sofreu julgamentos e preconceitos culturais. Musicista e compositora nos séculos XIX e XX, ela estava à frente de seu tempo. Depois de se casar aos 16 anos de idade, escandalizou a sociedade da época ao se separar; em consequência disso, perdeu a guarda de dois filhos e passou a morar com o único filho que conseguiu levar embora do lar.

Boêmia, frequentava a vida noturna, tocando em bares e teatros. Foi abolicionista e feminista e lutou pelos direitos autorais dos artistas. Quando se apaixonou, aos 52 anos de idade, por um homem 36 anos mais jovem, manteve o caso em segredo, alegando que havia adotado um filho.

Chiquinha Gonzaga foi precursora do movimento da liberdade e igualdade femininas no Brasil.

Demonstrou que o papel de mãe não deveria enclausurar a mulher na casa, privando-a de outras realizações pessoais e sociais.

A filósofa Elisabeth Badinter afirmou que o "mito do amor materno" confinou as mães ao lar durante anos, com o intuito de gerar descendentes na família e criar uma relação completa e essencial com o filho.

Assim, garantir os descendentes e estar em uma perfeita sintonia com eles exigiu da mulher uma dedicação sem precedentes para gerar, criar, educar e amar incondicionalmente os filhos.

O preço da "mãe perfeita" tem custado caro à mulher. Primeiramente, ela não consegue ser perfeita no mundo atual; não há tempo nem condições físicas e psicológicas para isso. Segundo, quase a metade da população economicamente ativa no Brasil é formada por mulheres e a carga horária média de trabalho semanal dessas mulheres é superior à dos homens. Levando tais fatos em consideração, podemos constatar que o tempo dedicado pelas mulheres e a disposição para os filhos são infinitamente menores do que eram nos séculos XVIII, XIX e XX. Isso em relação às mulheres burguesas, uma vez que entre o proletário o trabalho feminino já era uma realidade.

Porém, as exigências da cultura para que as mães cumpram as obrigações maternas continuam as mesmas de 200 anos atrás.

Vamos imaginar as dificuldades e os preconceitos que uma mãe separada, provedora da família, sofre. Além de ser uma mulher julgada pela cultura como alguém que veio de um casamento fracassado, ela é vista como uma mãe que dedica pouco tempo aos filhos. Essa mulher precisa cuidar sozinha das crianças, assumir os afazeres domésticos, cumprir com as obrigações do trabalho, ir às reuniões na escola dos filhos e desempenhar o papel de pai em virtude da ausência do homem na casa.

No Brasil, cerca de 22 milhões de mulheres são provedoras do lar e metade são mães com filhos[23], enquanto o número de crianças de zero a três anos de idade que vão à creche é pequeno, próximo, em 2009, de 20% na zona urbana e de 10% na zona rural[24].

Sabemos que no Brasil são raras as escolas gratuitas que possuem creches para as crianças. Vemos, nos noticiários, que muitos filhos ficam abandonados na própria casa, sob a responsabilidade dos irmãos maiores; crianças cometem infrações nas ruas e fazem uso de entorpecentes e mães são chamadas às delegacias para prestar depoimentos sobre a condição de total abandono dos filhos.

São os filhos órfãos de pais vivos.

Sobre isso, o depoimento de P. P. S., artista plástico de 40 anos, chamou a atenção:

"(...) o despreparo individual e, na maioria das vezes, duplo, do pai e da mãe. Cada um já carrega problemas existenciais muito mal resolvidos, incompatíveis com a procriação. Alguns que não serão de fácil correção ao longo na vida e que serão perpetuados ou pervertidos de várias formas ao lidar com os filhos, seja pela ausência, seja pela imposição da autoridade. Muitos pais e mães não poderiam sê-los. Não têm condições psíquicas e nem econômicas para suportar a educação de um filho, e desovam verdadeiros monstros para a sociedade, sejam marginais ou filhinhos de papai e de mamãe travestidos de 'bons moços'; porém, nas suas vidas íntimas, vivem uma vida (sic) miserável. Alguns pais e mães são pessoas mais egoístas do que aqueles que optam por não ter filhos. São, em geral, mais 'caretas', mais tradicionais, mais moralistas, menos livres em tudo, até para sonhar. São mais hipócritas. Julgam mais. Têm menos chances de aproveitar a vida. A natureza deveria impor provas por eliminatórias para o ser humano procriar: psíquicas, materiais, emocionais, de desejo... Porém, infelizmente, a evolução natural não avançou ainda a esse ponto."

Vivemos em uma roda viva. Não basta transferir a culpa para as mães. É importante refletir sobre a crença envolvendo o papel de mãe e sobre as condições oferecidas à mulher para exercer sua verdadeira função materna.

Podemos constatar que existem mulheres separadas que assumiram seus filhos, principalmente da classe social mais baixa, enfrentando dificuldades com a falta de estrutura social para ampará-los. E também mulheres que decidiram por não procriar e não encontram apoio na cultura e na família.

Maria do Carmo, divorciada, 45 anos, diarista, com dois filhos, sabe bem desses problemas:

"O casamento não deu certo. O pai dos meus filhos sumiu, fiquei sozinha. Tem gente que diz: 'coitada, ela não teve sorte na vida'; mas pior é escutar: 'você não soube segurar o marido'. Fico envergonhada de mulher que acha que você tem que aguentar marido que bebe e sai com outras mulheres."

Uma mulher que vive fora dos padrões sociais ainda hoje é considerada anormal, não se enquadrando no conjunto de valores estabelecidos pela cultura, como aconteceu com a compositora Chiquinha Gonzaga, que enfrentou preconceitos por escolher o seu próprio destino, sendo vista como pária na sociedade de sua época (pouco importando, para esta, os atos nobres que realizou).

Se a mulher se separa, é considerada uma fracassada; se não tem filhos, seu corpo poderá ser comparado a uma árvore seca, sem frutos, como se ele não funcionasse. É uma relação idêntica à da mulher-fêmea no século XVIII: um relógio parado dentro da mulher.

Silvia de Castro, 35 anos, casada e sem filhos, nos disse que ouvia: "Você tem algum problema para engravidar? Por que não adota uma criança? Vai passar a vida sem filhos?". E completa:

"Sou fértil, mas nunca quis ser mãe, nem adotar uma criança. As pessoas não entendem que isso é uma opção que eu tive (sic) na vida. Hoje, essas perguntas pararam, acho que talvez porque eu não ligue mais para elas."

O mito da "mãe perfeita" assume uma posição tão destacada na sociedade que algumas mulheres com dificuldades para engravidar fazem tratamento de fertilização em clínicas especializadas.

Foi divulgado, na grande mídia, que uma americana deu à luz oito gêmeos depois de um tratamento de fertilização *in vitro*. Ao participar de um *reality show* nos Estados Unidos, a fim de ganhar dinheiro para criar os filhos, ela declarou que o único lugar onde se sentia à vontade para chorar e ter um pouco de paz era no banheiro da casa. Mostrou-se publicamente arrependida de ser mãe dos bebês.

Claro que as crianças dessa mulher não têm culpa. O que podemos concluir é que essa mãe de 36 anos de idade viveu uma experiência-limite ao conceber oito filhos de uma única vez e seu sonho de ser mãe foi um perfeito desastre. Imagine amamentar, trocar, alimentar e cuidar de todos os bebês ao mesmo tempo.

A maternidade é um mito dominante na sociedade e está tão enraizada na cultura que ou a mulher aceita ser mãe e passa por todas as dificuldades com seus filhos ou não aceita viver o papel de mãe e fica exposta às críticas preconceituosas e às pressões da família e dos amigos.

Se for verdade que as mães estão vivendo um equívoco em suas vidas, por um mito criado pela imposição econômica e moral de dois séculos atrás, então estamos produzindo filhos para os mercados de trabalho e consumidores há décadas.

A mulher conquistou o espaço de trabalho fora de casa, mas não sabe o que fazer quando engravida – se abandona a carreira ou se deixa os filhos com alguém. Ela conquistou o divórcio, porém essa decisão sempre gera sofrimento para os filhos. As conquistas acabaram tornando-se um problema para a mulher. Em alguns casos de separação, as mulheres tornaram-se a mãe, o pai e a provedora da família.

Temos a impressão de que houve uma evolução da mulher na sociedade, mas a cultura não acompanhou o ritmo desse desenvolvimento. O "mito da maternidade" não é compatível com os novos tempos, com as novas necessidades do feminino.

A mulher do século XXI não é a mesma mulher dos séculos XVIII, XIX e XX. Mas o mito da maternidade ainda se mantém firme em suas raízes. As tradições culturais desse mito no Brasil são intocáveis. O país oferece poucas condições para as mães criarem seus filhos e a cultura não entende a decisão das mulheres que não desejam engravidar, o que tem gerado tantos problemas para a nossa sociedade que não sabemos ao certo o que fazer com esse mito que criamos.

Quem incentiva a criação do modelo familiar com filhos?

No Romantismo, o Estado mantinha a ordem social e a Igreja a moralidade, sendo que a submissão feminina e o poder masculino vigoravam na família. Com a expansão das indústrias, no século XIX, nascia uma nova ordem econômica.

A atenção com a mortalidade infantil surgia pela primeira vez. As indústrias precisavam de mão de obra e o Estado de mulheres que procriassem. Era preciso aumentar a população.

Em um primeiro momento da Revolução Industrial, muitas crianças foram usadas como mão de obra barata, principalmente os órfãos, relacionados nas listas dos orfanatos, que eram convocados a trabalhar nas indústrias.

Mão de obra e procriação formaram a cena nos países que se industrializaram; com isso, a criança passou a ser uma das forças de trabalho nessas sociedades.

O Estado precisava enriquecer, garantindo a prosperidade da nação, e a Igreja obter a fé e a contribuição de seus devotos, tornando sólida a instituição religiosa. Muita coisa foi escrita sobre os cuidados com as crianças e as igrejas usavam o púlpito para sermões voltados à educação infantil e ao elogio à maternidade.

De repente, amamentar é o mesmo que ser bela e sagrada. A mãe que amamentava o bebê começou a ser vista como uma santa. A Igreja Católica associou a imagem da Virgem à mãe e defendeu os cuidados que a mulher deveria ter com a família e a casa.

No mural da Catacumba de Priscila, em Roma, vemos a Virgem Maria sentada, amamentando seu filho, o menino Jesus. Essa ideia estética, reproduzida em tantas outras pinturas e esculturas, incentivou as mães a valorizarem a amamentação dos filhos.

Então, criar os filhos e zelar pela família tornou-se um ato nobre de orgulho e prazer, obrigando a mulher à dedicação integral ao lar.

O cuidado com os filhos passou a ser uma obrigação social. A maternidade foi valorizada como nunca e a ela foi acrescentada a concepção do amor segundo a estética do romantismo: o "amor incondicional".

Então, a mãe sustentaria esse amor com relação aos filhos, transmitido tanto pelos ideais, no século XVIII, como pela expansão industrial, no século XIX.

Ser mãe era amar e cuidar incondicionalmente dos filhos.

O século XIX apresentou uma explosão populacional, principalmente na Europa, o que garantiu ao Estado e à Igreja os objetivos de crescimento social e a prosperidade financeira.

Na primeira metade do século XX, a mulher continua submissa ao marido, responsável pelos cuidados dos filhos, cobrada pela autoridade máxima masculina – o homem diz se a esposa é boa mãe –, enquanto ele é o provedor, não podendo deixar faltar nada na casa – a mulher diz se o marido é bom pai.

Ela é a esposa fiel, dona de casa, e busca ser a mulher perfeita, idealizada pelos padrões masculinos. Ele passa a maior parte do tempo trabalhando e supre as necessidades do lar, cumprindo seu papel de homem. O amor está na felicidade conjugal do casal e os filhos tornam-se a consagração da família. O Estado vincula a família à economia. A Igreja defende os padrões de moralidade cristã na base familiar.

♦ Aumenta o número de filhos que são destinados a ter uma boa educação e a ajudar as famílias a prosperarem economicamente, mantendo seu alto *status* social.

♦ A participação da família nos encontros dominicais religiosos torna-se obrigatória, representando um importante evento social.

Assim os anos se passaram, até que as transformações nas décadas de 1950 e 1960 criaram um novo tipo de comportamento social.

♦♦♦♦♦♦♦♦♦♦♦

O Brasil, desde a época da colonização, sofria os reflexos da sociedade europeia em seus costumes, valores e crenças. No século XX, o modo de vida americano, chamado de *american way of life*, influenciaria a moral e o comportamento de consumo no Brasil e em parte no mundo ocidental. Nascia uma maneira diferente de constituir família e viver em sociedade.

A década de 1950 foi conhecida como "Anos Dourados", um período de transição entre a Segunda Guerra Mundial e a revolução tecnológica e de comportamento social.

Jaqueta de couro, cabelo com brilhantina, vestido de alcinha rodado, símbolos de rebeldia da geração dos anos 1950. Foi quando a televisão chegou ao Brasil e surgiu o *rock and roll*.

A euforia de um novo mundo no pós-guerra havia contaminado o Brasil: a promessa de modernizar a nação em curto prazo, transformando um país predominantemente agrário para uma potência industrial, motivou a migração de grande parte da população do campo para os centros urbanos. As famílias nas cidades cresceram e se modernizaram. As mulheres passaram a ocupar mais postos no mercado de trabalho.

Posteriormente à Segunda Guerra Mundial, elas experimentaram a independência financeira e a liberdade de trabalhar fora de casa. Estavam mais seguras de seu papel na sociedade, provando a si mesmas sua capacidade de gerar renda e produzir nas fábricas.

Nos anos 1950, houve o *baby boom*, a chamada explosão populacional. A prosperidade financeira crescia em um ritmo tão acelerado de consumo, depois de viver a escassez dos produtos básicos durante o confronto mundial, que milhares de bebês nasceram nos países que encontraram maior estabilidade financeira.

A superação da experiência hostil e ameaçadora, própria de uma guerra, provocaria a necessidade instintiva humana de reprodução como forma de preservação da espécie. Com isso, criou-se um profundo dilema na mulher: ser independente, trabalhando nas fábricas, ou ser mãe.

A sensação de independência financeira para a mulher surgia como positiva. Pela primeira vez na história, ela conquistava um espaço de trabalho fora do lar, podendo dividir o papel de provedora da casa com o homem.

Mas não seria tão simples romper com o modelo da família tradicional nesse primeiro momento. Foi quando a explosão populacional do pós-guerra veio como uma esperança para a construção de um "novo mundo".

Dez anos se passaram para que uma revolução de comportamento abalasse a antiga estrutura da família e a mulher se posicionasse de forma mais independente na sociedade. A transformação definitiva aconteceria durante a década de 1960.

A pílula anticoncepcional surgiu como uma maneira de a mulher determinar se queria ou não ter filhos e quando isso aconteceria. O uso da minissaia significou um comportamento sexual assumido, independente de ter filhos.

Com o contraceptivo, o ato sexual não estaria focado somente na procriação, mas também no estímulo do prazer. O *baby boom* que havia acontecido no pós-guerra seria revisto.

Os ideais de igualdade e liberdade eram mais importantes do que procriar, para os jovens.

A luta pela liberação sexual e pela expressão sem censura tornar-se-ia a bandeira da revolução, impulsionando as ideias e os sentimentos da nova geração, disseminados principalmente na Europa, Estados Unidos e América do Sul.

Os jovens prefeririam o amor livre em vez do consumo; constituiriam família sem os compromissos formais religiosos, buscariam o contato sensorial com a arte e as experiências com alucinógenos em vez de adotarem os valores da geração anterior.

Ter filhos deixaria de ser prioridade para essa geração. O casal, além de não constituir matrimônio segundo a lei ou acatar os rituais tradicionais da Igreja Cristã, também não considerava a procriação como fundamental.

O espírito coletivo era mais forte do que a individualidade, desde que não afetasse os direitos pessoais. No Brasil, comunidades *hippies* foram criadas, para as quais a família fazia parte de uma coletividade e a atividade agrária passou a ter maior importância – uma forma de protesto contra a sociedade de consumo. Os jovens consumiam aquilo que produziam. As famílias eram consideradas parte de um grupo social maior, como um símbolo de humanidade.

Os casais sem filhos tiveram na década de 1960 a semente ideológica e o sentimento da liberdade de escolha de não ter filhos.

Nesse período, a mulher desencadeou uma intensa luta pela igualdade dos direitos humanos e de melhores salários com relação aos homens, tomando o centro das manifestações femininas nas ruas. Seu papel na família e na sociedade passou a ser amplamente discutido pelas manifestações de grupos feministas organizados.

Os movimentos *hippie, flower power, black power, gay power e women´s lib* criavam força social. A cultura jovem, contrária aos valores do capitalismo e denominada "contracultura", viria a se consolidar como um estilo de vida livre que pregava a paz e o amor. Era a semente da ruptura com os modelos tradicionais, principalmente familiares.

A família tradicional sucumbia diante do modelo de mundo projetado pela nova geração, que se opunha à guerra e ao poder do capitalismo e defendia a liberdade sexual, como também uma nova visão no relacionamento com a natureza, iniciando os movimentos ambientalistas.

No ano de 1964, o Brasil sofria o golpe militar, ao mesmo tempo em que a revolução de comportamento estava em processo de efervescência nas universidades, nas ruas e nos festivais de música.

Os jovens estudantes, professores, artistas e representantes da sociedade lutavam contra o regime militar, marcando os ideais da juventude, construindo o sonho de um mundo justo e livre, confrontando os rígidos padrões sociais, cuja base se concentrava na célula familiar, na religião e no Estado.

A geração dos anos 1960 criou diferentes bases culturais. O que contava era a experiência sexual. Era viver o momento, desfrutar da liberdade e do direito de expressão.

No pós Segunda Guerra Mundial, os Estados Unidos passaram a exercer domínio econômico, cultural e político na maior parte do mundo, principalmente na América Latina. O desenvolvimento do Brasil passou a ser uma preocupação não apenas nacional, mas também norte-americana. E, como diz a frase: "Se você quer a criança, toma que o filho é seu".

Os Estados Unidos se propuseram a financiar o desenvolvimento do Brasil, desde que a assustadora explosão demográfica que tínhamos fosse controlada. Os militares brasileiros concordaram em criar mecanismos e sistemas de planejamento familiar, porém não houve empenho nesse sentido e nem seriedade no projeto, mas o dinheiro norte-americano acabou entrando no país de qualquer forma.

Apesar de todas as interferências externas, os anos 1960 abalaram os valores tradicionais das famílias brasileiras de forma contundente, transmitindo à década seguinte novos princípios e crenças da contracultura.

O comportamento irreverente da geração dos anos 1970 e as manifestações artísticas e estudantis criaram uma verdadeira implosão na crença existente da família tradicional, na relação entre pais e filhos e no papel social do homem e da mulher.

Na década de 1970, a mulher conquistava novos cargos no mercado de trabalho, antes ocupados apenas por homens. Ela trajava coletes, paletós, camisas e calças mais largas. Em

1975, a ONU organizou o Ano Internacional da Mulher. No Brasil, inúmeros grupos feministas se formaram, espalhando-se nas grandes cidades. A cultura *gay* desenvolveu manifestações e atividades culturais nos Estados Unidos, com sede na cidade de São Francisco, criando várias comunidades homossexuais.

A revolução radical de comportamento tornou-se um estilo de vida próprio, passando de diferentes opções sexuais à luta pelos direitos humanos. O homem usava cabelo comprido, brincos, pulseiras, calças *jeans*, bolsas de couro e chinelos; a mulher vestia batas indianas, tecidos florais, bijuterias artesanais, microssaias, frentes únicas e roupas coloridas. Surgia a cultura da androginia, que se popularizou com o cantor David Bowie aparecendo na capa de um disco maquiado com a aparência de um andrógino, além da literatura e das artes, com a popularização de autoras que defendiam enfaticamente um reconhecimento dos direitos femininos, como, por exemplo, Susan Sontag e Yoko Ono.

O casamento tradicional atravessaria uma crise com os jovens casais vivendo juntos sem as formalidades legais ou religiosas. Todas as expressões livres da sexualidade se concentraram nessa década, dissociadas da reprodução de filhos.

Desse modo, uma garota e um rapaz podiam sair de casa para viver juntos sem a promessa da vida eterna a dois que a cultura do casamento defendia. Era comum que amigos e amigas dividissem o apartamento com um casal, e, se o filho de uma amiga estivesse presente, tinha os cuidados e a atenção dividida do grupo, como se todos fossem uma única família.

Quando os casais faziam parte de um grupo de teatro, música ou dança, por exemplo, era normal que as experiências estéticas fossem trocadas com a jovem "família". Se houvesse crianças, elas acompanhavam as produções artísticas dos pais. A "família" formava-se por meio de um conjunto de experiências trocadas no grupo.

Alguns casais tinham nas comunidades *hippies* a base de sua família ou, em casa, adotavam amigos itinerantes.

Portanto, a concepção de família nesses grupos adquiria o valor da coletividade, tornando-se uma "amplificação do conceito de família".

Dessa forma, a base familiar do homem provedor e da mulher submissa começava a ruir, em defesa dos ideais da coletividade e dos direitos humanos.

O desenvolvimento individual na opção por não ter filhos

Para Davi, professor universitário e artista plástico de 43 anos,

"aqueles que não querem filhos ficam mais livres para conduzir suas vidas, com mais independência e sem a preocupação em seguir modelos". Isso porque "os que possuem filhos se preocupam muito em oferecer uma educação que não os exclua do sistema social. A educação da criança fica comprometida com a necessidade deles de provarem sua competência como pais".

Na década de 1970, havia um considerável investimento em novas tecnologias, principalmente por empresas norte-americanas, o que gerou nos anos 1980 o desenvolvimento da IBM, da Apple e da Microsoft, seguido de pesquisas em tecnologia no estado da Califórnia, no Vale do Silício.

Era o final da idade industrial e o começo da idade da informação, com lançamentos de computadores pessoais (PCs), *softwares*, *hardwares*, videocassetes, *walkmen*, CDs, bancos de dados e produtos de tecnologia e informação.

O computador pessoal motivou o comportamento individualista. Cada pessoa poderia ter sua máquina e gerar dados na intimidade da casa, isolando-se em ambientes diferentes com informações cada vez mais particulares.

Se os anos 1970 chocaram e destituíram os valores tradicionais familiares e culturais, valorizando a coletividade, os anos 1980 foram construídos com novos arranjos na família, sem desafiar o sistema ao aceitar o capitalismo moderno como um modo de vida, adaptando a família ao mundo de tecnologia e informação voltado ao indivíduo.

Na década de 1980, a tecnologia provocaria um impacto de mudança na família de proporções imensas, atingindo, no decorrer dos anos, a população mundial.

As novas tecnologias estariam acessíveis a crianças, adultos e idosos de qualquer país ou etnia, criando relações sociais no espaço virtual, as quais não poderiam ser imaginadas como as conhecemos hoje.

O ambiente familiar acabou sendo um dos mais atingidos pela revolução tecnológica. Os relacionamentos familiares mudariam; os interesses de entretenimento dos filhos seriam outros; a informação conquistaria um grau de tamanha importância que seria comprada por qualquer membro da família; os filhos passariam a estudar nos computadores das escolas e qualquer instituição teria que se adaptar a essa realidade.

Mas nem tudo foi positivo na década de 1980: a descoberta dos perigos da AIDS, a doença do século, colocou a população mundial em estado de alerta, preocupando os governos com a seriedade de seus sintomas.

"Sexo sem camisinha, não!", dizia uma campanha publicitária.

A liberação sexual das duas décadas anteriores seria refreada, diminuindo o ato sexual sem preservativos, o que mudaria o comportamento da população e tornaria a geração mais conservadora.

Os valores familiares voltariam ao padrão de um casal que não explora as experiências sexuais abertamente. O sexo fora do casamento seria assombrado pelo fantasma da AIDS.

As separações entre os casais aconteceriam como algo necessário à preservação da individualidade. As mulheres se destacariam no mercado de trabalho, conquistando a independência financeira e o mérito de se apoiarem sobre si.

As condições de vida da família não eram mais coletivas; eram, porém, de caráter individual, preservando os valores de cada membro da casa e valorizando a individualidade.

Os casais que optaram por não ter filhos poderiam adotar os valores do cultivo da individualidade, da facilidade de consumo, da independência financeira e da livre movimentação.

Todavia, esses casais sentir-se-iam deslocados, à margem do que se considerava importante no imaginário do modelo ideal de família. A criança voltaria a ter um papel de destaque na cultura, passando a ser prioridade na família. Seriam preservadas, assim, as crenças religiosas cristãs e os valores do Estado.

Mas havia uma incoerência nessa concepção de família.

Se os casais sem filhos cumpriam com o valor da individualidade, como poderia ser exigida deles a procriação?

Para a Igreja, surgiria a possibilidade de retomar o controle moral da família, mantendo a atividade sexual e as crenças familiares dentro dos padrões tradicionais. Para o capitalismo, a quantidade de crianças nascidas significava aumentar as vendas de produtos, criando um novo mercado consumidor infantil ao mesmo tempo em que surgiam os conceitos do *marketing* infantil; mais famílias seriam criadas no futuro, aumentando o número de trabalhadores, que multiplicariam a quantidade de lares e de consumidores.

No ano de 1985, começava o período de abertura política no Brasil, com o fim da ditadura, o que facilitaria a compra de bens de consumo e o acesso às informações no mundo da tecnologia.

As famílias se sentiram mais confortáveis com a possibilidade de consumir uma imensa variedade de marcas e produtos. A sensação era de que a vida estava ficando mais fácil e rica. As crianças passariam a ser vistas como consumidoras em potencial.

Com o restabelecimento da democracia, o desenvolvimento tecnológico, o ingresso da mulher no mercado de trabalho e os novos hábitos sexuais de comportamento, a estrutura familiar mudaria.

Pela primeira vez, novos arranjos na família foram feitos em grande escala.

A taxa de crescimento do número de mulheres como chefes da família passaria de 27% em 1981 para 37% em 1989, representando 18% em todo o país[25].

A mulher assumiria simultaneamente a responsabilidade doméstica, o trabalho na empresa e o cuidado dos filhos; por um lado, estaria sobrecarregada de suas funções e atividades, por outro, retiraria de si o estigma de sexo frágil e passaria a ter independência financeira, investindo em sua carreira profissional.

Em 1989, havia 3,3 milhões de crianças menores de 14 anos morando apenas com as mães. No início de 1980, foi constatado que aumentou o número de anos em que a mulher permanecia sem cônjuge com seus filhos em cerca de 11,2 anos[26].

Outro fenômeno era o das pessoas morando sozinhas. Este universo representava, em 1989, 7,4%, o maior número já visto de pessoas que optaram por viver a sós, o que significava que a individualidade e a independência seriam os novos modos de vida. Já os idosos nessas condições cresceram de 8% em 1980 para 10% em 1989[27].

A forma como a sociedade se organizou a partir das variáveis sociais, religiosas e econômicas influenciou as mudanças nos valores e no conceito de família. O número de solteiros que moram sozinhos aumentou, assim como o de idosos, e o de mulheres divorciadas e chefes de família crescia rapidamente.

Antonio Celso, 53 anos, professor universitário, casado e com duas filhas, observa a mudança no conceito de família:

"Esse conceito, hoje, nós estendemos ao relacionamento político e cultural, para além da família tradicional", e complementa: "A partir de um olhar superficial e sem muita atenção pormenorizada (...), posso destacar a situação socioeconômica da sociedade, que possibilita aos casais refletirem sobre as duas situações, família com e sem filhos, e suas realizações diante de cada uma das situações. Situação econômica e cultural que, me parece, tem uma relação mais universal com o futuro de cada um que o imediatismo das emoções".

As novas formas nos arranjos de família tiveram que passar muito mais pelo processo democrático econômico e social do país e pelo multiculturalismo das diferentes instituições religiosas, seguidos da emancipação feminina no mercado de trabalho e seu ingresso maciço nos cursos superiores, do que pelo impulso emocional e pelo afã da maternidade em gerar filhos, como se defende na cultura popular.

Desse modo, foi criada, inclusive pela lei, uma maior liberdade e segurança na decisão para as separações conjugais da mulher e o tipo de família que ela optaria por ter no Brasil. Nessa década, houve grande elevação do número de divorciados e de separados que moram sozinhos. A fecundidade, que era de 6,0 filhos por casal em 1950, passou para 3,2 em 1986; depois, em 2000, diminuiu para 2,38 filhos, e em 2010 caiu para 1,86, número abaixo do necessário para reposição para a espécie humana de um casal, que é de 2,1 filhos[28].

Quanto às mudanças de comportamento dos casais sobre terem filhos, o professor Celso aponta:

"Muda-se o foco de atenção sobre o mundo. O que posso afirmar da minha experiência como observador é que o foco de atenção dos pais no interior do mundo muda do universal para o particular quando se tem filhos, e o lar passa a ser um espaço de criação do 'agora'. O foco está mais na criança ou nas condições objetivas de manutenção e desenvolvimento dos filhos".

Então, "liberdade" passaria a ser sinônimo de "independência", de "individualidade" e de "mobilidade".

Assim, as décadas de 1960 e 1970 derrubaram a estrutura familiar tradicional, enquanto a década de 1980 apontou a existência de novos arranjos familiares com o aumento de casais sem filhos e solteiros que moram sozinhos, além de diferentes situações na constituição de família.

Em consequência dessas mudanças, a década de 1990 se consolidou com a globalização e a tecnologia. A queda do muro de Berlim marcou o fim da grande divisão entre capitalismo e socialismo e afirmava-se a implantação de um novo capitalismo globalizado.

A democracia, em muitos países, contribuiu para a abertura do sistema comercial, que passou, dessa forma, a ser sinônimo de acesso ao mercado global, com maior aumento de bens de consumo em várias nações. As mudanças políticas e econômicas atingiram o Brasil e, pela primeira vez na história, houve *impeachment* contra um presidente da República.

O estado democrático da nação possibilitou que "tribos" diferentes de jovens surgissem: dos ambientalistas aos consumistas, dos militantes contra a globalização aos *nerds* de computadores. Os grupos ecológicos levantaram bandeira contra governos e empresas poluidoras do meio ambiente. A preservação da natureza viria a ocupar o centro das atenções, enquanto a produção desmedida das indústrias e o consumo desenfreado conjugariam as principais razões da poluição no planeta.

A mídia abria espaço para os homossexuais defenderem seus direitos, sendo que a primeira Parada Gay na Avenida Paulista, na cidade de São Paulo, aconteceria em 1997.

O *reality show* na televisão expunha a intimidade e as relações entre pessoas para milhões de telespectadores, colocando em dúvida a preservação da individualidade, em um mundo que se posicionava de forma cada vez menos coletiva e mais individualista.

Desse modo, estabelecia-se uma maneira de viver em família jamais vista. Os objetivos na família deixaram de ser coletivos, passando a ser individuais.

Cada pessoa na família escolhia um caminho diferente e experimentava viver de acordo com seus propósitos. O isolamento dentro de casa, com televisão, videogame e computador para cada membro da família, passou a ser natural.

Ser independente e ir ao mercado de trabalho foram fatores que contribuíram com a entrada em massa das mulheres nas faculdades. Na década de 1990, do total de matriculados para o ensino superior, 61% eram mulheres. O ingresso das mulheres no mercado de trabalho também se elevaria e, em 1998, elas seriam 42% da população de trabalhadores e a proporção de casais sem filhos chegaria a 13,3%[29]. Considerando "casais sem filhos" como aqueles que não residem com os filhos, casais jovens sem filhos que os desejam no futuro, casais sem filhos por infertilidade e casais sem filhos por opção. Não há uma pesquisa governamental com filtro refinado apenas para "casais sem filhos por opção".

Foi comprovado que mulheres com mais tempo de estudo têm menos filhos. Na década de 1990, aquelas que apresentavam menos de quatro anos de estudo chegavam a ter, em média, 3,1 filhos; já mulheres com oito anos ou mais de estudo tinham 1,6 filhos[30].

Na visão da professora Aurea,

"a decisão de ter ou não filhos ainda prevalece para a mulher. A maternidade é o seu território, e isso inclui o uso das novas tecnologias para engravidar. O homem é uma espécie de continuação dessa decisão feminina".

As relações entre escolaridade, renda e quantidade de membros da família mostraram que havia uma tendência à mudança no arranjo familiar no Brasil.

A década de 1990 culminou com uma parcela considerável da população feminina ocupando cargos de diretoria em empresas, assumindo atividades exercidas, até então, somente por homens. Em casos como esses, os filhos passaram a conviver menos com a mãe, tendo que desenvolver mais cedo novas habilidades.

A tecnologia viria como uma saída para os pais ausentes – eles incentivariam os filhos no uso de videogames e computadores. E não seriam somente os pais que perceberiam a importância da cultura digital: as empresas investiriam pesado no amplo mercado da tecnologia e as escolas adotariam os computadores em atividades acadêmicas; os filhos aprenderiam mais rapidamente o funcionamento dos programas e sistemas nos computadores do que os pais.

A geração que brincava com os jogos eletrônicos e se consolidava no mundo tecnológico se reunia ao redor do computador e do videogame no lar. As pessoas que moravam sozinhas estavam acompanhando a tecnologia, principalmente depois que a internet passou a ser de domínio público, facilitando o acesso e a navegação do usuário, que passou a poder conversar *on-line*, entrar em salas de *chat*, enviar *e-mails*, acessar *sites* e fazer novos amigos.

Os casais e os solteiros aderiram ao uso da tecnologia, dando a atenção e o cuidado aos equipamentos que os pais davam às crianças.

A compra de insumos, programas, CDs, DVDs e máquinas de última geração foi realizada pela população, representando um alto investimento financeiro do usuário e uma profunda mudança de comportamento social.

Cada vez mais os membros da família se isolavam em seus computadores e aparelhos de televisão nos ambientes da casa.

A popularização da internet mudaria radicalmente as relações humanas, comerciais, culturais e familiares.

Uma nova geração surgiria no século XXI, criando outra ordem mundial.

Famílias X, Y e Z

Antigamente, os pais telefonavam para perguntar aos filhos aonde eles iriam à noite e com quem sairiam; hoje, os pais entram nas redes sociais para monitorar os filhos.

Três tipos de gerações diferentes surgiram desde a década de 1960. Elas foram classificadas como gerações X, Y e Z. Cada uma com características próprias, apresentando estruturas mentais e emocionais e maneiras de agir diferentes.

A geração X é a de nascidos do início dos anos 1960 até os primeiros anos da década de 1980. A geração Y é a de nascidos de meados dos anos de 1980 até o final da década de 1990. A geração Z é a de nascidos de meados da década de 1990 até os dias atuais. Elaboramos uma tabela que traz algumas características das três gerações.

Geração X	Geração Y	Geração Z
Nasceram no mundo analógico, mas se adaptaram ao digital	Cresceram na rede mundial	Nativos digitais
Querem formar uma família com valores diferentes dos de seus pais	Uma parte quer formar família, desde que isso não atrapalhe seu estilo de vida	Querem construir relacionamentos mais sólidos do que seus pais separados
Poucos filhos, mas todos devem ter consciência crítica	Se tiver filhos, estes não podem interferir em sua individualidade	Se tiver filhos, estes podem sofrer consequências negativas como a mídia mostra
Oposição aos valores dos pais, diferentes dos seus	Casam mais tarde, moram sozinhos ou ficam na casa dos pais mesmo depois dos 30 anos de idade	Os pais são separados e/ou pouco entendem de seu mundo virtual

Geração X	Geração Y	Geração Z
Casal sem filhos prioriza gastar dinheiro com viagens, *hobbies* e cultura	Casal sem filhos prioriza gastar dinheiro com produtos de marcas mais caras e de tecnologia de última geração	Adolescentes priorizam gastar dinheiro com tecnologia e produtos da moda, mas são desconfiados com relação às marcas
Possuem poucos amigos leais	Os amigos estão selecionados na rede virtual de relacionamento	Amigo é uma sociedade na rede mundial
A realidade é concreta	A realidade é fragmentada	A realidade é virtual
O passado dá a base para o futuro	A velocidade é tudo para o presente	O tempo é o "agora"
O conhecimento é vertical. Aprofunda-se em um assunto por vez	O conhecimento é horizontal. São vários assuntos misturados, sem aprofundar-se em nenhum	O conhecimento é multidirecional. São vários assuntos conectados
Primeiro lugar é ser feliz	Primeiro lugar é ter prestígio e realização	Primeiro lugar é estar conectado ao mundo

Apesar das dificuldades em precisar as datas de início e fim dessas gerações, ao menos poderíamos supor que a geração Y é filha da geração X. Já a geração Z, se não é neta ou filha da geração X, poderá ser sobrinha dela ou filha de um irmão, por exemplo. De qualquer modo, encontraremos diferenças entre as três gerações.

Vamos imaginar um diálogo dentro da casa de um casal de 45 anos de idade, sem filhos, pertencente à geração X, colocando um livro sobre a mesa da sala. A sobrinha inquieta, da geração Z, com 15 anos de idade, ajeita o *notebook* no colo, sentada no sofá, conectando-se naquele momento à internet. Um amigo que pertence à geração Y, de 25 anos, desliga o celular e olha a tela do computador da menina.

É sábado à noite. Eles estão conversando sobre comprar uma pizza e assistir a um filme na televisão.

– Vou pedir uma pizza por telefone; preciso verificar o número no ímã da geladeira – diz o homem da geração X.

– Você não tem o número gravado no celular? – pergunta o amigo da geração Y.

– Essa pizzaria não aceita o pedido pela internet, tio? – questiona a sobrinha da geração Z.

– Não sei, nunca tentei – responde o tio.

– Aceita, sim, acabei de fazer o pedido – diz a menina.

– E se a pizza não for boa? – pergunta o rapaz.

– Nós a devolvemos – diz a mãe.

– Devolver, sim. Depois, deixa que coloco os podres no Facebook para meus 3.700 amigos e 2.800 no Orkut, aí todo mundo fica sabendo. Vou destilar meu veneno também no *blog* – fala a menina.

– Qual é o filme que vamos ver? – pergunta o amigo.

– Tem a ver com este livro, *Sem filhos por opção* – diz o homem da geração X, apontando o livro sobre a mesa.

– Tio, essa história de ter filhos é complicada. Imagine, com tanta violência, com o desequilíbrio ecológico e a superpopulação no planeta...

– Pior mesmo se a criança interfere na sua individualidade. Tem que dar tanta atenção a ela que você não faz mais nada! – comenta o rapaz.

– Conversamos bastante sobre não ter filhos – diz a mulher –. No início, ficamos em dúvida, mas depois percebemos que tínhamos outros projetos em mente.

– Primeiro eu vou morar sozinho, depois convido minha namorada. Sabe que, antes de namorar, pergunto sempre se ela tem filhos ou se pretende ser mãe? Fico apenas com aquelas que não têm filhos. Não quero dividir meu tempo com uma criança. Além disso, vou montar meu negócio. Filhos custam caro e tomam tempo – conclui o rapaz.

– Minhas amigas no "Face" ficam divididas. É que depois dos pais se separarem elas sofreram como eu sofri. Crianças não precisam viver com pais descabeçados – aponta a garota.

– Às vezes, penso se criança não faz falta. Mas temos tantos planos e coisas para fazer que deixei para lá – diz a mulher, olhando para o marido.

– Pior é o preconceito que sofremos. Parece que todo mundo é obrigado a ter filhos – fala o homem da geração X.

– Cada um tem que tocar a sua vida – afirma o rapaz.

– Oba! O entregador da pizza chegou. Depois posto na internet uma mensagem para minhas amigas sobre a nossa conversa – conclui a menina.

Em nossa casa, temos conversado com pessoas de todas as gerações a respeito da opção de ter ou não filhos. Notamos que um casal ou uma amiga que ainda trazem dúvidas sobre essa decisão acabam levantando fortes argumentos para evitar filhos. Entretanto, as pressões sociais, principalmente da família e dos amigos, criam constrangimentos sobre tais decisões.

Uma amiga que pertence à geração Y, com 31 anos de idade, formada em Turismo e pós-graduada em Ecologia, trabalha com eventos envolvendo crianças e adolescentes e mora com um irmão mais novo e a mãe (os pais são separados). Nossa amiga é bastante consciente e informada sobre as mudanças no mundo. Mostra-se doce e afetuosa, apesar de geniosa. Mesmo sendo bonita e inteligente, tem dificuldades no relacionamento com rapazes – os motivos são variados, desde a incompatibilidade de interesses até atitudes mais rispidas, como uma pergunta atravessada ou uma resposta que magoa.

Porém, quando a questão envolve ter ou não filhos, a conversa é longa. Às vezes, demonstra desejo por ser mãe; em outros momentos, diz que fica exausta ouvindo "tia para lá e tia para cá" e que não faz questão de engravidar. Há também o histórico de pais separados e da difícil batalha de sua mãe para criar os filhos.

Ela afirmou que a prioridade em sua vida não está em ter filhos, mas em construir uma vida independente ao lado de uma pessoa que a ame. A decisão de gerar crianças não pode ser tomada por ela enquanto não tiver relação afetiva estável e não houver segurança financeira.

Um jovem que conhecemos, com 25 anos de idade, trabalha em uma grande empresa na área de tecnologia. Tem bom salário, apartamento próprio e formação na área onde atua. Tem namoro estável e reside sozinho. Quando perguntamos se ele queria ter filhos, a resposta foi enfática: "não!".

Afirmou que não traria nenhum filho para este mundo violento e individualista e, se algo fosse eterno, como ter um filho, ele poderia ficar arrependido e não teria como voltar atrás.

A geração Z parece ter mais segurança nesse campo do que a geração Y, que ainda carrega algumas dúvidas quanto a maternidade e paternidade.

Se a geração Y foi influenciada pela geração X, a geração Z percebeu rapidamente as dimensões da crise no mundo e as dificuldades de relacionamento que a geração Y sofria.

Apesar de jovem, a geração Z acabou adquirindo maior segurança com relação à decisão de não ter filhos do que as outras gerações.

O número de filhos por casal está diminuindo e a quantidade de casais sem filhos tem aumentado, enquanto muitos solteiros que moram sozinhos decidiram não os ter. Hoje, há um grande número de casais separados, mulheres provedoras do lar e filhos que continuam vivendo na casa dos pais após os 30 anos de idade, configurando, assim, uma mudança no conceito geral de família.

No futuro, os casais sem filhos no Brasil serão maioria em relação aos casais com filhos.

A projeção do IBGE para daqui a vinte anos indica que estamos diminuindo a população no país.

O número de filhos por casal tem se reduzido a cada ano e o número de idosos tem aumentado (a expectativa média de vida do brasileiro está em 73 anos, atualmente)[31].

A decisão de não ter filhos tem-se colocado como importante para o controle da explosão demográfica no Brasil, sobretudo entre as classes menos favorecidas.

As gerações Y e Z, por serem constituídas por pessoas mais jovens, terão maior poder de decisão no futuro sobre o destino da família brasileira, enquanto as gerações mais antigas transmitirão valores e crenças como um legado para as mais novas. Todas terão a oportunidade de criar valores e princípios mais éticos e realistas para a construção das famílias, com bases mais sólidas e seguras do que tivemos nos últimos anos.

Ouvimos mulheres da geração Y e até da geração X, casadas e solteiras sem filhos, que relataram o sonho que tiveram de ser mães durante certo período da vida. Após um tempo, e nunca se sabe ao certo quando isso acontece, refletiram sobre a violência no mundo, a carreira profissional, as dificuldades financeiras e a luta para se formar na faculdade, o que contribuiu para diminuir o desejo da maternidade de algumas dessas mulheres. Não que a vontade de ser mãe tenha desaparecido, mas outras motivações passaram a ter prioridade em suas vidas.

Quando o grau de escolaridade é menor, há uma tendência a gerar mais filhos.

As ambições das mulheres que têm menor grau de instrução e que não possuem perspectivas profissionais e acesso a informação voltam-se mais à maternidade. Muitas vezes a maternidade aparece como a única possibilidade de formação de identidade para tais mulheres. As mulheres sem motivações de crescimento fora do casamento, que não percebem outras atividades de importância que poderiam exercer, acabam dedicando-se exclusivamente aos cuidados dos filhos. Afinal, uma pessoa investe naquilo que é mais importante para seu mundo, segundo suas experiências pessoais.

Em 2009, mulheres com maior grau de instrução tinham filhos com 27,8 anos de idade, enquanto aquelas que possuíam menos de sete anos de estudo engravidavam mais cedo, com 25,2 anos[32].

Ouvimos do estudante R. G. S., de 17 anos, que mora com os pais:

> "Estou sempre nas redes sociais. Converso muito com meus amigos e amigas pela internet. Falamos de algumas coisas de família, falamos sobre música, escola, namoro, o que vamos fazer no sábado, mas não vejo as meninas falando que querem engravidar. Elas falam de namoro e 'ficar'. Meus pais e os pais de meus amigos estão na nossa rede social, eles sempre sabem o que acontece com a gente. Não tenho nada a esconder deles. Acho que a sinceridade é o melhor respeito (sic) que eu tenho com meus pais."

São situações diferentes, mas que refletem parte da realidade da geração de jovens e as intenções com relação à família dos futuros casais de forma madura e consciente.

> Os motivos para que casais ou solteiros tenham ou não filhos serão vistos com maior naturalidade pelas novas gerações. Aliás, a geração Z, a mais jovem de todas, compartilha com frequência suas opiniões nas redes sociais.

E no Brasil, como anda a opção de não ter filhos?

O imaginário popular da "boa família", que tem como meta o progresso social e o futuro do desenvolvimento com poucos idosos e muitos jovens, defende, na cultura, o modelo da família com filhos. O Brasil é conhecido como um país do futuro, um país de cabeças jovens.

Esse panorama tem mudado com a quantidade de idosos aumentando e o número de filhos por casal diminuindo.

M. R. é uma empregada doméstica de 29 anos, que tem um filho e pretende ter muitos outros, justificando esse desejo com um ditado antigo que é repetido no sertão da Bahia: "quem tem um filho não tem nenhum".

Quer dizer: é preciso ter muitos filhos porque, quando morre algum, ainda sobram outros. Essa ideia era válida em um contexto rural, quando os filhos ajudavam no trabalho da terra e a taxa de mortalidade era grande. A realidade de MR mudou e seu único filho tem um bom atendimento médico no centro urbano em que ela vive, mas a ideia de ter muitos filhos "para garantir" permanece a mesma.

O diretor do Fundo de População das Nações Unidas, Babatunde Osotimehin, chamou a atenção para como a queda da mortalidade infantil conquistada nos últimos anos pode colaborar na transformação dessa antiga expectativa de ter muitos filhos, já que a probabilidade de sobrevivência é grande. Assim, aponta que deve haver uma

> política de seguridade social para que, desse modo, as pessoas superem a ideia de que é importante ter muitos filhos, compensando a morte de alguns, e se sintam seguras com poucos filhos[33].

Os dados do IBGE, compilados pela Consultoria de Geomarketing Cognatis, mostram que, em 2003, os casais sem filhos com menos de 64 anos de idade em que ambos os cônjuges trabalhavam fora somavam 2.600 milhões de casais. Em 2009, passaram a ser 4.400 milhões, um aumento de 70% em um período de seis anos. Para 2020, acredita-se que os casais sem filhos, nesse perfil, chegarão a 12% (esses dados não representam a totalidade dos casais sem filhos no Brasil; são específicos para os propósitos de estudo de consumo).

A tendência do aumento de casais brasileiros sem filhos é progressiva e irreversível.

A taxa de casais com filhos está sofrendo redução: em 1999, representavam 55% dos casais e, em 2009, passaram a ser 47,3%[34].

Para Ana Paula, 29 anos, professora, casada há dois anos e sem filhos:

"Muitas das minhas amigas não querem filhos. Não vou dizer todas, algumas ainda sonham em ser mães. Parece que há um período mais forte em que isso acontece. Você se imagina com uma criança... Ficar grávida, cuidar do bebê, levar para passear, andar empurrando o carrinho do bebê no parque (...), não sei, mas depois, com tantas prioridades e problemas diferentes que vão acontecendo na vida, isso vai diminuindo, até que você assume não querer mais."

Assim, a tendência indica que haverá, em média, menos filhos por casal, com o aumento do número de casais sem nenhum filho. Esses dados são úteis para indicar um novo cenário que está se formando nas cinco regiões do Brasil.

Os casais *childfree* passaram a crescer desde a década de 1960. Todavia, essa posição de um casal no estilo de vida *childfree* não é muito confortável.

A ideia de que o casal sem filhos é incompleto e infeliz, porque não existe uma criança para ser cuidada, cria na cultura a imagem de um casal com desvios de comportamento com relação ao que se considera "normal" para uma família.

Ainda que os números apontem uma tendência no cenário dos casais sem filhos e estudiosos da demografia comecem a olhar mais atentos para essa categoria de casais, as tradições e os valores da família são preservados desde a época da colônia no Brasil, como uma herança da cultura.

Em um contexto geral do imaginário da "família perfeita", a criança completa a vida do casal, cobrindo as lacunas da relação entre os cônjuges dentro do modelo colonial.

É o legado das crenças e dos valores sociais dos pais que se mantém na linhagem da família e subsiste na memória e nos costumes sociais.

Temos que considerar que há diferentes realidades no Brasil, evidenciadas por aspectos como regionalidade, etnia, raça, religião etc., o que nos coloca em um mosaico cultural, misturando tradições e criando variadas maneiras de viver na sociedade. Com esse multiculturalismo, os arranjos familiares formaram-se com o passar dos anos, dando origem às novas configurações na família.

Por exemplo:

- O número de mães com apenas um filho subiu de 25,8% em 1997 para 30,7% em 2007[35].

- O percentual de pessoas que vivem sozinhas no Brasil aumentou de 8,3% em 1997 para 11,1% em 2007[36].

- Outra realidade é o percentual de pelo menos um dos filhos ter sido gerado durante outra união: 8,4% das moradias possuem filhos ligados biologicamente apenas ao pai ou à mãe[37].

Quando a mulher se casa com um homem que tem filhos de outro casamento, não sendo madrasta e sem qualquer vínculo afetivo ou obrigações com os filhos do marido com outra mulher, ela passará a ser a mulher do pai; ou, no caso do homem casado com uma mulher, que tenha gerado filhos de outro casamento, se tornará o marido da mãe.

O livro *A mulher do pai* relata que uma nova relação familiar se estabelece, como é observado neste trecho:

"A mulher do pai se difundiu nos últimos tempos com as mudanças na estrutura familiar contemporânea. Mudanças tão rápidas para as quais ainda não se criaram coletivamente uma nomenclatura própria e uma posição simbólica e efetiva[38]."

C. S., 33 anos, aluna do curso de Publicidade e Propaganda, separada e com uma filha, nos disse:

"Vou continuar assim como estou, sem casar. Não quero misturar as coisas, ainda tenho que me formar para pensar em um segundo casamento. Tenho que pensar na minha filha também, não é qualquer homem que consegue conviver com uma criança que não é sua biologicamente. No meu primeiro casamento, meu ex-marido tinha filhos com outra mulher, duas filhas; a mais nova, com oito anos, era ciumenta e não me aceitava. Isso acabou gerando uma crise no relacionamento da família. Foi um dos motivos da minha separação."

As relações afetivas também mudam com as novas formas de constituir família e os papéis sociais passam a ser vistos como novos papéis na sociedade, que se adaptarão com a vivência familiar através dos anos.

A professora Aurea destaca:

"Priorizei minha formação e a dedicação às empresas em vez da maternidade. Há diferenças socioculturais evidentes entre casais com filhos e sem filhos. Para os pais, os filhos dominam o tempo – eles exigem tempo integral dos pais. As mães percebem que não têm mais tempo para si. Algumas deixam até de se cuidar como mulheres."

Os dados fornecidos pelo governo, tanto do histórico no arranjo das famílias como das previsões de baixo índice de fecundidade por mulher, fornecem a ideia de que há um novo cenário se abrindo na estrutura familiar: a mulher deixa de ser dona de casa e reprodutora e passa, em muitos casos, a ser a principal provedora da família.

Como um casal sem filhos, ficamos surpresos ao descobrir que há outras perspectivas na organização da família moderna, que estamos passando por uma fase de profundas mudanças na estrutura familiar.

O que há de importante na família não é apenas saber das opções de ter ou não ter filhos. Às vezes, somos nós que precisamos aprender a força do amor e o motivo para amar, e principalmente ter a certeza de que amamos a pessoa com quem estamos. É um ingrediente na relação que só se aprende quando se experimenta.

❖❖❖❖❖❖❖❖❖❖❖

O modelo europeu familiar, durante os ciclos da cana-de-açúcar, do café, da mineração e de atividades rurais, foi importante para a manutenção do sistema de colônias, como garantia do Império Português de explorar as riquezas do Brasil, com famílias que se dedicavam exclusivamente a essa atividade. Essa ideia de família manteve-se no extrato inconsciente da nossa cultura desde a época dos missionários católicos da colonização.

Na casa-grande, residência da família, o senhor de engenho tinha plenos poderes. A mulher se submetia a ele e ficava confinada ao lar. O filho mais velho (primogênito) era o herdeiro dos bens, a quem todos obedeciam quando se tornava o senhor.

Os costumes europeus e a religião cristã pelo catolicismo foram incorporados à cultura do Brasil, formando o modelo da família patriarcal cristã, modelo este que já havia atravessado a Idade Média na Europa.

Durante anos, a sociedade brasileira teve exclusivamente essa formação. A mulher deveria reproduzir, cuidar dos filhos e zelar pelo lar, enquanto o homem faria uso de seu poder absoluto sobre a família, ditando as regras de convívio segundo os moldes cristãos.

Esse era o chamado "modelo ideal", que no Brasil se prolongou durante quatro séculos.

A família girava ao redor dos negócios e do poder; constituía a base da sociedade, apoiada pelo Estado e pela Igreja, e era submetida à autoridade incontestável e venerada do patriarca.

Séculos se passaram desde a época da colonização do Brasil e mudanças sociais, culturais, econômicas e políticas aconteceram no mundo. A família passou a adotar diferentes modelos em sua formação ao longo do século XX e início do século XXI. Variados arranjos familiares foram surgindo e se agrupando na sociedade, o que criaria uma diversidade de estruturas nas famílias.

Criamos um quadro, meramente ilustrativo, para uma noção mais clara do novo cenário de arranjos familiares que estão acontecendo no Brasil. Em 2011, o IBGE constatou haver 190.755.799 habitantes no país, em uma proporção de 96 homens para 100 mulheres[39].

Cenário Demográfico	Quantidade
Casais homossexuais registrados em cartórios com união estável – 2010	60 mil
Divórcios – 2010	243.224
Separações – 2010	67.623
Mulheres chefiando o lar – 2009	21.933.180

Cenário Demográfico	Quantidade
Filhos com mais de 30 anos morando na casa dos pais no Rio de Janeiro – 2009	29%
Domicílios habitados por apenas um morador – 2009	5 milhões
Número de pessoas por domicílio – 2010	3,3
Número de domicílios – 2010	57 milhões
População com 60 anos ou mais – 2010	14,5 milhões
Crescimento anual da população brasileira – de 2000 a 2010	12,3% (2000-2010) 1,17% (anual) – menor índice registrado pelos censos brasileiros

Assim, observamos os casamentos de casais homossexuais, que vêm aumentando nos últimos anos, o alto índice de divórcios e separações, a quantidade imensa de mulheres provedoras do lar e os filhos que não saem da casa dos pais mesmo após os 30 anos de idade, contribuindo para que o índice de crescimento da população seja o menor registrado pelos censos brasileiros na história.

Merecem destaque os solteiros que moram sozinhos.

Solteiros que moram sozinhos

Dia 15 de agosto é o Dia do Solteiro. Se depender da quantidade de solteiros no Brasil, eles têm muito que comemorar, inclusive com direito a usar o chamado "anel de solteiro", lançado no mercado por uma empresa sueca, apelidado de *singelringen*.

Os solteiros representam 62 milhões de pessoas com mais de 15 anos no Brasil[40] e muitas delas moram sozinhas.

Até pouco tempo atrás, pessoas que viviam sozinhas não eram bem-vistas, principalmente as mulheres, que sofriam preconceitos sociais. Ainda hoje, os solteiros são frequentemente questionados se não vão se casar e ter filhos.

Mas a ideia de ser independente, pagando as contas e investindo na carreira profissional e nos estudos, com um poder aquisitivo respeitável, começou a mudar a concepção do solteiro na cultura, mesmo que parte da sociedade não compreenda plenamente esse estilo de vida, rotulando os solteiros de solitários e egoístas. O que não se sabe é que muitos vivem bem e felizes sozinhos.

Os solteiros gastam cerca de 80 bilhões por ano no Brasil com consumo[41], representando um significativo mercado para a economia com seu alto poder de compra.

Dentre os solteiros, há os chamados de *single*, palavra que, no inglês, significa "único, solteiro".

Entre os *single* não se incluem pessoas que se sentem isoladas socialmente e que não têm capacidade para se relacionar com outras pessoas. *Single* são aqueles que optaram por viver sozinhos e assumiram esse estilo de vida, podendo ser homossexuais ou heterossexuais; jovens, pessoas de meia idade ou idosos; homens (49,6%) ou mulheres (50,4%)[42].

Os *single* vivem em cinco milhões de lares no Brasil. Eles não descuidam da casa, como poderíamos pensar. Suas casas são bem organizadas, com decorações modernas e sofisticadas; alguns têm animais de estimação; a comida que consomem é normalmente pré-congelada; e há uma infinidade de artigos eletrônicos, CDs, filmes, livros e revistas a serem consumidos para o deleite desses solteiros.

Os *single* possuem um perfil com necessidades específicas, e uma forma personalizada de consumo, que vai dos *flats* ao alimento congelado e das embalagens práticas de alimentos aos variados tipos de comida (*strognoff, yakisoba*, massas, frangos etc.). Possuem o hábito de realizar as refeições também em restaurantes e lanchonetes.

Cassiano Pereira, solteiro que mora sozinho, tem por hábito

ir "(...) aos restaurantes e lanchonetes; não tenho muito tempo para preparar as refeições. Até gosto de cozinhar, mas a vida agitada com trabalho, trabalho e trabalho cria situações em que você tem de viver com os congelados ou ir aos restaurantes".

Eles têm características próprias: são impacientes, não gostam de fila, rejeitam a demora no atendimento e frequentam habitualmente *shoppings*, lojas de conveniência, padarias, teatros, cinemas e locais de diversão à noite. São, em sua grande maioria, internautas: frequentam *blogs*, clubes virtuais de relacionamentos para solteiros e salas de bate-papo, e participam das redes sociais, sempre antenados a algum convite para festa ou evento enviado para a caixa de e-mail ou o celular.

Há uma grande parcela de solteiros que prefere investir na carreira profissional e na formação escolar a casar e ter filhos ou adotar uma criança. Então, priorizar o trabalho e a formação torna-se tão importante quanto valorizar a própria individualidade.

Estudante universitária, Jaqueline, de 21 anos, quer focar sua atenção na formação:

"Minha cabeça está voltada para os estudos, logo estarei fazendo estágio em publicidade. Não quero desviar a atenção para outra coisa... Casamento, filhos (...), já tenho minha família, meu pai, minha mãe e um irmão. Namoro, mas não é nada sério. Tenho algumas amigas, que estudaram no colégio comigo, que já casaram, estão com filhos e resolveram largar os estudos. Elas decidiram por um caminho diferente do meu."

A viagem, o divertimento, a prática de esportes, a amizade, a cultura e as artes acabam entrando na lista de prioridades desse grupo, que não mede esforços financeiros para conquistar prazer e satisfação pessoal.

Podemos destacar duas categorias de solteiros: o eventual e o definitivo.

O eventual é aquele que ainda não casou e vive sozinho, mas planeja morar com alguém.

O definitivo é aquele que pretende continuar vivendo sozinho, independente de ter ou não um compromisso sério com outra pessoa.

Ambas as categorias de solteiros partilham do mesmo estilo de vida. São independentes e valorizam a praticidade e a funcionalidade dos bens e serviços no dia a dia, como os apartamentos do tipo *loft* projetados.

Mas o solteiro "definitivo" dificilmente terá filhos ou contrairá matrimônio, enquanto que o solteiro "eventual" poderá casar e procriar ou adotar filhos. A diferença entre um e o outro está na decisão pelo estilo de vida adotado: querer viver sozinho em sua casa ou ter o desejo de, no futuro, constituir uma família.

Cassiano reforça a categoria do solteiro definitivo: "Não quero ninguém morando comigo, nem adotar uma criança. Viver a sensação de independência e preservar a individualidade não tem preço".

A quantidade de solteiros no Brasil é equilibrada entre homens e mulheres. Os solteiros definitivos preferem viver com prazer, sem abrir mão da individualidade, julgando que um filho ou um casamento poderiam alterar sua rotina pessoal e desestabilizar seu estilo de vida, retirando-lhes o prazer de viver só na casa.

Os solteiros sem filhos por opção, assumidos em seu estilo, representam um grande exemplo de que a solidão não é estar desacompanhado, mas viver afastado de si mesmo.

◆◆◆◆◆◆◆◆◆◆◆

Essas informações sobre os diferentes arranjos familiares nos dão uma noção de que o modelo real contemporâneo é um mosaico que envolve uma enorme variedade de dinâmicas familiares, com estilos para todos os gêneros, envolvendo conflitos e ambivalências em qualquer tipo de família.

Algumas mudanças já estão sendo propostas e realizadas no âmbito do Direito da Família, como a legalização do casamento entre homossexuais e a inclusão dos novos papéis familiares de pessoas que vivem separações e recasamentos, como a "mulher do pai" e o "marido da mãe".

No entanto, a Igreja é conservadora: não admite os casais homossexuais, nem os métodos contraceptivos, e o sexo fora do casamento é proibido; a instituição ainda não acompanha plenamente as mudanças ocorridas no tempo. Ela está presa a um modelo arcaico de família, agindo de acordo com o passado.

E, claro, não se preparou para uma nova realidade, muito menos imaginou que, um dia, os casais *childfree* formariam uma categoria familiar em crescimento e que solteiros sem filhos convictos seriam altamente valorizados no mercado de consumo.

Não se esperava que a sociedade perdesse a confiança na instituição familiar tradicional.

O antigo modelo familiar sinalizou que não suportava as mudanças sociais. A crença na "família ideal" foi rompida. Assistimos na televisão a mães que abandonam seus filhos em lixeiras e ateiam fogo em suas crianças; atos de violência contra menores praticados em casa; crimes em família e crianças traficadas. Conhecemos muitos pais que usam seus filhos na separação; filhos que mandam em casa, pais que não educam e escolas que educam menos ainda.

As condições de vida obrigaram o modelo familiar a ser revisto. Muitos hábitos se modificaram. Quem, da geração dos anos 1960, não se lembra de que as refeições aconteciam apenas com toda a família reunida à mesa?

As circunstâncias destes tempos muitas vezes obrigam as pessoas a se verem pouco. Quando o casal trabalha fora, estuda e, no final de semana, tem que cuidar da casa e das compras, não sobra tempo para mais nada.

A família não se encontra na própria casa.

Pior ainda é quando a mãe ou o pai são separados e assumem a responsabilidade com as crianças, passando a exercer uma tripla jornada de trabalho. E quando os filhos têm a rotina tumultuada e saem para a escola, vão ao trabalho e se divertem, eles viram turistas na própria casa. Qualquer membro da família, hoje em dia, é muito ocupado, até mesmo as crianças: elas estudam, fazem a lição de casa, brincam, vão às festinhas, saem para as compras. O contato dos filhos com os pais é cada vez menor.

A família adotou uma trajetória individual. Escolheu adotar o modelo de projeto separado para cada membro da família.

Na opinião do professor universitário Antonio Celso,

"o conceito de família, nos dias atuais, diante desta dinâmica sócio-histórica, aproxima-se muito mais de uma realização individual do que de uma integração institucional, isto é, de mais de uma aspiração coletiva. A ideia de indivíduo permeia a instituição e não pelo que ela oferece de possibilidades (sic) de realização para este indivíduo, e sim pela realização de seus objetivos. O indivíduo passa a sobrepor-se à instituição família".

As relações familiares mudaram. Talvez para os nossos avós seja difícil entender esse estilo de vida. E eles entenderiam menos ainda se vissem os pais colocarem os filhos no centro da família e realizarem todos os seus desejos, acompanhando as crianças em seus eventos sociais e deixando os próprios compromissos para trás.

Quando a ausência dos pais gera um estado de culpa, devido ao excesso de trabalho e de compromissos assumidos, eles procuram eximir-se dessa culpa atendendo a todos os pedidos dos filhos, de modo que, para eles, amar as crianças signifique realizar os desejos dos filhos, mesmo aqueles que são considerados incabíveis.

Por isso, a nova trajetória adotada pela família é voltada à trajetória dos filhos. Os pais optaram por satisfazer seus filhos em quase tudo, enquanto eles próprios ficaram com quase nada, adequando-se ao estilo de vida dos filhos.

Não é que os pais de hoje sejam melhores do que os seus pais, ou que as crianças estejam mais espertas do que no passado. Houve uma complexa mudança nos valores familiares, o que implicou uma profunda transformação, tanto na formação familiar como no modo que seus membros decidem suas vidas individualmente. Os diferentes cenários familiares configuraram uma nova sociedade, mudando valores e crenças do passado.

Ainda que existam inúmeros arranjos familiares, a cultura resiste em reconhecer um modelo diferente do ideal de família nuclear.

O Brasil tem cerca de 14,5 milhões de pessoas com idade acima de 60 anos, consideradas idosas[43], e a tendência é que esse grupo aumente nos próximos anos.

Em 2009, 6,67% da população era de idosos e 26,04% de crianças com idades de 0 a 14 anos[44]. Em 40 anos, 13,15% da população será de idosos e 22,71% de crianças.

Em virtude da queda do número de crianças e do aumento da população economicamente ativa, o Brasil passa pela chamada "janela demográfica", na qual a população é mais ativa, trabalhando e produzindo cada vez mais, enquanto o número de dependentes entre 0 a 14 anos de idade, por casal, declina ano após ano.

Com uma idade média de 29 anos, no Brasil[45] a janela demográfica é um momento único que o país vive. Favorece sobremaneira a nação, trazendo maior dinamismo e desenvolvimento econômico, principalmente com o ingresso, no mercado de trabalho, de pessoas entre 15 e 24 anos de idade, que equivalem a 34 milhões de jovens brasileiros. Todavia, esse número irá diminuir com o passar dos anos, fechando, assim, a janela demográfica.

Havendo um cenário com maior número de trabalhadores ativos e uma menor quantidade de dependentes, é fundamental que exista mais investimento em educação e no preparo de profissionais para que eles, bem capacitados, assumam os postos de trabalho neste momento ímpar para a nação, gerando grandes possibilidades econômicas enquanto nossa janela para o crescimento estiver aberta.

A família da nova classe média

Nos últimos anos, surgiu uma nova classe social no Brasil, a chamada "nova classe média". Com maior poder aquisitivo e condições para a compra de produtos e serviços no mercado consumidor, o padrão de vida da classe C se elevou, mudando o cenário econômico no país.

A nova classe média não apenas melhorou em qualidade de vida, mas também aumentou em quantidade. A classe D passou a ter melhores salários e acesso às compras de bens, subindo na pirâmide social e engrossando a classe C.

O Governo do Planalto divulgou que metade da população do país pertence à nova classe média, o equivalente a 95 milhões de pessoas. A maioria é formada por jovens que trabalham em emprego formal com potencial de consumo Com um rendimento entre R$ 1.126,00 e R$ 4.854,00, a classe C é responsável por 78% das compras em supermercados, utiliza 70% dos cartões de crédito no Brasil e aproximadamente 80% das pessoas da categoria acessa a internet[46]. Porém, mais da metade da classe C está endividada e não sabe como pagará suas contas. O Governo Federal lançou programas de contenção de crédito e de redução da taxa de juros com o intuito de controlar a inflação.

No ano de 2010, o Brasil tinha a seguinte distribuição de classes sociais[47]:

A/B	21%
C	54%
D/E	25%

A nova classe média, a maior na pirâmide social do Brasil, representa quase 60% dos casais *dink* e uma parcela significativa de solteiros que vivem sozinhos.

Não há um único perfil que caracterize a nova classe média, mas podemos dividi-la em duas grandes categorias: os mais conservadores e os mais liberais.

Os conservadores consomem de forma mais contida, planejando seus gastos; vinculam mais suas crenças pessoais à religião e seguem a tradição de seus pais; não possuem o hábito da leitura de jornais e livros e seu capital cultural é menor.

Os liberais consomem de forma menos contida, ultrapassando o limite do cartão de crédito e do cheque especial; vinculam menos suas crenças à religião e procuram adotar um estilo de vida diferente de seus pais; desejam atingir cargos elevados nas empresas, fazem cursos superiores e têm o hábito da leitura de jornais e livros.

O grupo dos mais liberais tem como referência as dificuldades financeiras enfrentadas por seus pais, que tiveram menores oportunidades profissionais e não conseguiram dar continuidade aos estudos, fazendo sacrifícios econômicos para criar seus filhos.

O jovem desse grupo busca outro estilo de vida, diferente do modelo familiar que os pais adotaram. Normalmente, ele é o primeiro membro da família a ingressar em uma faculdade. Temos exemplos de alguns estudantes que vivem essa realidade, como J. L. S., de 19 anos, e N. D. S., de 20 anos, ambos irmãos cursando a faculdade. Eles disseram que a família depositou toda a sua expectativa neles e que são os primeiros de uma família com quatro irmãos a fazer um curso superior. Estudam para ter uma melhor colocação no mercado de trabalho e retribuir à família o sacrifício feito para que pudessem formar-se.

Apesar de a classe C valorizar sobremaneira a família, grande parte dos mais liberais investe na individualidade e no consumo de bens sofisticados e tem como meta vencer na vida profissional, o que poderá implicar a decisão de não ter filhos.

Isso poderia justificar o porquê de grande parcela de casais sem filhos pertencer à nova classe média do país.

Jaqueline, 21 anos, estudante de publicidade e propaganda, solteira e sem filhos, considera-se do grupo mais liberal da nova classe média.

"Irei morar sozinha quando puder. Valorizo muito minha liberdade e minha independência, não gosto de ninguém me pressionando ou querendo mudar meu jeito de ser. Se eu gostar da ideia, namoro e pronto, não preciso me apegar a ninguém."

A preocupação da classe emergente, independentemente de ser mais conservadora ou liberal, está nas recentes conquistas financeiras, do cartão de crédito ao cheque especial, do consumo de bens ao sonho da casa própria, que ela não deseja perder.

A classe C traz ambições de conquistas sociais parecidas com o modelo da antiga classe média de vinte anos atrás. Ela é empreendedora e otimista, valoriza viagens, procura frequentar restaurantes e lanchonetes, financia o automóvel e compra produtos eletrodomésticos. A TV de plasma, a máquina de lavar roupa e o celular não podem faltar; também entram na lista de prioridades o DVD e o *notebook*. Porém, ela não se arrisca com os produtos importados e veículos de alto valor.

Neste momento, a nova classe média não engloba apenas o maior número de casais sem filhos no Brasil, mas constitui, juntamente com as classes B e A, a grande concentração de renda do país.

Entretanto, essa questão não é tão simples como pode parecer.

O relatório do Índice de Desenvolvimento Humano (IDH), divulgado pela Organização das Nações Unidas, classificou o Brasil, em 2010, na 73º posição entre 169 países.

O IDH é uma medida comparativa que classifica os países com grau de desenvolvimento humano, que envolve critérios de saúde, educação e renda.

Esse índice é importante, pois mostra a realidade de uma nação diante do mundo e apresenta o cenário do desenvolvimento dos países.

Apesar de o Brasil ser classificado como uma nação em desenvolvimento, encontra-se abaixo de onze países da América Latina, como Chile, Argentina, Uruguai e Peru.

A United Nations Educational, Scientific and Cultural Organization (UNESCO) divulgou, em 2010, o Índice de Desenvolvimento da Educação de todos os países. O Brasil foi classificado em 88º lugar, abaixo de países mais pobres, como Paraguai, Equador e Bolívia.

Apesar da rápida ascensão das classes sociais no Brasil, existem problemas básicos a resolver, como o do planejamento familiar.

As pessoas das classes menos favorecidas são as que têm mais filhos. Elas possuem grau de escolaridade menor, têm pouco acesso à informação e dependem exclusivamente da saúde pública.

Para haver um planejamento familiar adequado, escolaridade, saúde e informação são fundamentais em qualquer sociedade.

Veremos um exemplo simples, de nosso cotidiano, para um melhor olhar sobre a dimensão desse problema.

Há uma mulher, conhecida nossa, que estava fazendo um tratamento em um hospital público e que não podia tomar nenhum tipo de anticoncepcional. Após dois meses de consultas, sem que os médicos ou ela suspeitassem, uma gravidez de risco foi descoberta. Era preciso fazer um exame que o hospital público não cobria. Ela foi encaminhada a um laboratório particular, mesmo sem condições financeiras para pagar. Esse fato reflete parte da realidade do sistema público de saúde no Brasil.

O Sistema Único de Saúde (SUS), apesar de ter sido criado na década de 1980, ainda não atingiu as expectativas esperadas pelo planejamento familiar. Grande parcela da população atendida por esse programa é carente, vive em regiões consideradas precárias pelo governo, necessita com urgência de planejamento familiar e não possui a devida assistência médica e hospitalar.

O setor da educação é outro entrave para o planejamento familiar. Quanto menor o tempo de estudo do casal, a tendência é que a quantidade de filhos que terão seja maior. Mulheres com oito anos ou mais de estudo têm, em geral, menor quantidade de filhos em relação às mães que possuem, em média, menos de quatro anos de escolaridade.

O baixo grau de instrução escolar dos pais dificulta o acesso à informação e a compreensão do modelo para o planejamento familiar.

O Brasil possui 8% da população com ensino superior completo, ao passo que nossos vizinhos Argentina e Chile possuem 14% e 13%, respectivamente[48]. A população de analfabetos é de 14,1 milhões entre pessoas com mais de 15 anos de idade, conforme levantamento feito pelo Instituto Paulo Montenegro. Constatou-se, ainda, por meio do Índice de Alfabetismo Funcional, que apenas 25% dos brasileiros estão plenamente alfabetizados. Significa que 1/4 da população deste país consegue ler e entender o que está escrito nestas linhas.

Apesar de haver no Brasil um crescimento da nova classe média, um aumento da renda familiar da classe D e expectativas favoráveis do Governo Federal para a melhoria das condições de vida da classe E, a educação é tímida em seu avanço e os dogmas da religião opõem-se aos contraceptivos.

A baixa escolaridade dessa classe talvez explique o fato de ainda terem muitos filhos, vulneráveis aos valores do passado, transmitidos por seus pais e perpetuados pela Igreja.

Uma fatia considerável dessa população não concluiu o ensino médio, trazendo histórico de evasão escolar; exerce atividades de mão de obra mais barata no mercado de trabalho, mora em casas pequenas de periferia, nos bairros mais carentes, e investe menos no capital cultural.

Apesar de, nos últimos anos, 20 milhões de brasileiros (o equivalente ao dobro da população da Suécia) terem saído das classes D e E, passando para a classe C, a formação educacional e os investimentos em cultura não acompanharam o mesmo ritmo do consumo de produtos e serviços dessa classe social. Talvez a educação e o capital cultural não representem prioridade para uma parcela da nova classe média e também não recebam o incentivo público esperado.

A população brasileira tem exigido mudanças no ensino e na saúde. Espera-se que haja empenho, seriedade e ética dos órgãos públicos e dos políticos para a melhoria nessas áreas, criando condições para o adequado planejamento familiar em todas as classes sociais do país.

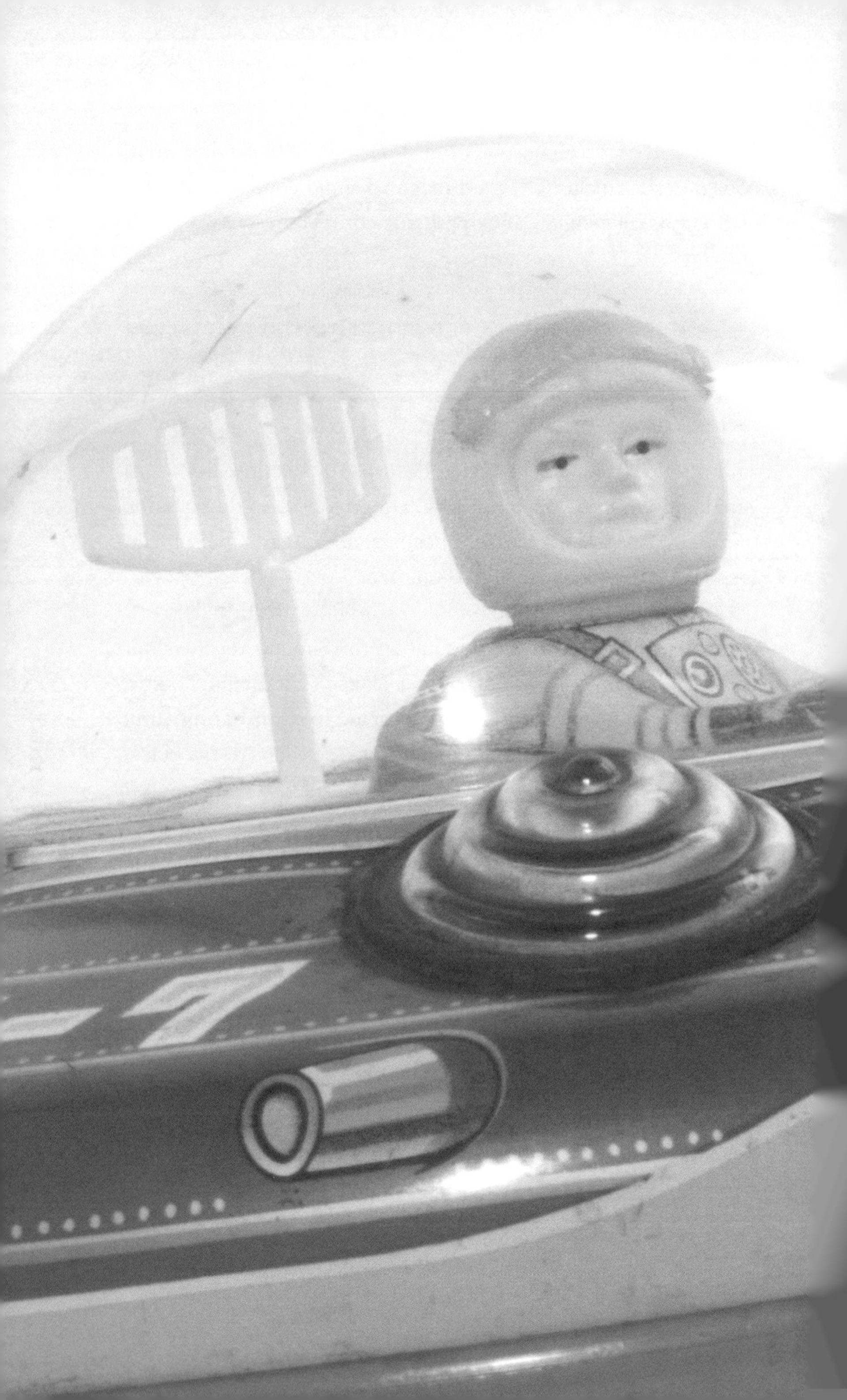

capítulo 4

mudanças nos papéis e nos valores da família

CAPÍTULO 4
Mudanças nos papéis e nos valores da família

Os papéis de pai e mãe, na família, compreendem direitos e deveres. Em nossa impressão, existem mais deveres do que direitos para os pais. Na família contemporânea, os filhos sabem que os pais trabalham, cuidam da casa, compram brinquedos, buscam segurança, cumprem com suas obrigações.

Em nossa sociedade, o indivíduo tem maior consideração pela posição social que ocupa e pela importância dos papéis que exerce do que pelas características individuais que apresenta. Quando os papéis materno e paterno são desempenhados, socialmente, segundo o modelo da "família ideal", a cultura considera que os pais foram bem-sucedidos.

Os papéis sociais são sempre importantes na definição da identidade dos indivíduos. O que muda é que cada sociedade valoriza determinados papéis sociais; neste caso, de pai e mãe. Eles não são cobrados apenas por seus filhos, mas pelas instituições. Priorizar os filhos é o que se espera de uma "boa mãe" e de um "bom pai"; eles devem centrar seus esforços pessoais na construção do modelo da família perfeita.

Os casais *childfree* estão fora desse modelo. Por não exercerem os papéis maternos e paternos, a cultura os enxerga como imperfeitos, como se trouxessem algum problema. São rotulados de egoístas, por se preocuparem apenas consigo mesmos, e de pessoas sem coragem de assumir a maternidade e a paternidade. A questão do preconceito e da estigmatização social é uma das principais queixas de casais sem filhos por opção[49].

O papel do casal, no estilo de vida sem filhos, é incompatível com o modelo tradicional da "boa família". O casal exerce os papéis de cônjuges, mas não os de pai e de mãe, o que, para muitos, representaria uma "falta" de função social pelo fato de dois adultos constituírem família e não procriarem.

Davi vive com um companheiro há 14 anos. Formam um casal homossexual que não pretende associar sua conjugalidade ao fato de ter filhos, assim como nós, os autores deste livro, que formamos um casal heterossexual sem confundirmos nossa conjugalidade com o modelo de família tradicional com filhos.

Não ter filhos também implica, como já vimos, redefinir a família, assim como questionar sua imagem idealizada. Para P. P. S., artista plástico de 40 anos,

"as pessoas podem ter amigos que muitas vezes funcionam melhor do que pai, mãe e irmãos. Uma empregada pode funcionar melhor do que uma mãe, e sempre haverá a opção de uma família imaginária, ou uma família com seus animais, que são seus filhos, e seu trabalho, que pode ser vivido como uma extensão do seu corpo".

A opção de não ter filhos ainda é considerada recente pela cultura de nosso país e a religião cristã é a mais fervorosa no sentido de não admitir uma família sem filhos.

O Estado dá sua opinião depois de analisar a economia, a mão de obra disponível no mercado de trabalho, as despesas nas escolas e nos hospitais públicos, o déficit da previdência social, o crescimento e os problemas internos e externos da nação.

Aceitar um casal sem filhos envolve os poderes do Estado e da religião no momento histórico em que se vive.

Os valores sociais herdados pelos casais com filhos consolidaram-se na sociedade após um período de dois séculos.

Quando um casal opta por não ter filhos, a prioridade passa a ser seus valores pessoais.

Com base nessa discussão, elaboramos um quadro comparativo entre alguns valores de um casal com filhos e de um casal sem filhos, ambos hipotéticos, de classe média, divididos em intervalos de idade – considerando a mesma faixa etária para os dois casais. O quadro é baseado nas representações de vinte e quatro valores das necessidades e condições postuladas por Maslow[50].

Quadro comparativo entre casais com filhos e sem filhos

De 25 a 30 anos de idade

Casais com filhos:
No início do casamento, surge um bebê.
Haverá uma intensa relação afetiva com o novo membro da família. A prioridade antes dada aos valores individuais diminui. Os gastos são com fraldas, quarto do bebê, roupas infantis e despesas médicas.
As preocupações com a saúde do recém-nascido e a atenção dedicada a ele são intensas.
O casal recebe a visita de familiares e amigos e sai pouco de casa. A experiência do cotidiano é centrada no filho. Há um nú-

mero menor de eventos fora do lar dos quais o casal participa. Os pais passam a observar detidamente o crescimento do bebê. Ele entra na pré-escola e se socializa com os "amiguinhos". Os pais ensinam os deveres e direitos, educando a criança. O valor da disciplina fica mais forte, formando a conduta social que adotará ao longo da vida.

Casais sem filhos:

Os primeiros anos de casamento são intensos na relação do casal, tanto no tocante à atividade sexual como aos estímulos dentro da casa e às atividades externas, vistos como fontes de prazer. O casal investe na decoração da casa, realiza viagens e passeios, faz com frequência jantares românticos e visita amigos habitualmente.

A atenção é dividida entre o cônjuge e as pessoas próximas, sendo que o prazer individual, a rotina, os eventos sociais e o divertimento são comuns para o casal. Há descobertas e valorização dos desejos pessoais, que são partilhados entre ambos os cônjuges e também com terceiros.

Durante os anos iniciais de convivência, os amigos são convidados pelo casal a participar de alguns eventos dentro e fora do lar, acompanhando parte de sua trajetória.

A sensação de liberdade, sem as obrigações paternas e maternas, representa um valor essencial. Os horários são mais flexíveis e os passeios e diversões tornam-se habituais.

De 31 a 39 anos de idade

Casais com filhos:
A criança tem entre 6 e 14 anos de idade.

A criança foi matriculada na pré-escola aos cinco anos de idade e concluiu o Ensino Fundamental I aos dez e o Ensino Fundamental II aos quatorze. Estará entrando no Ensino Médio no próximo ano. O investimento financeiro na formação do filho é alto; o casal gasta menos com jantares em restaurantes, viagens, cursos de pós-graduação e decoração da casa. A compra de um apartamento de médio ou alto padrão é adiada, principalmente pelo valor elevado do condomínio.

As preocupações dos pais com o filho pré-adolescente começam a surgir, como, por exemplo, com quem está saindo, o lugar para onde está indo e a que horas retornará para casa. Levar o filho aos compromissos e receber os amigos e amigas dele em casa são eventos que ocorrem com maior frequência à medida que o filho cresce.

O casal habituou-se a dedicar atenção integral ao filho; parte do prazer do casal passou a ser o prazer do filho. Os pais matriculam a criança em cursos de línguas, academia de judô e futebol de salão.

A relação entre o casal se dá em prol do bem-estar da família, sendo que a afetividade é dividida com maior intensidade entre o casal e o filho.

Os pais sonham em fazer uma viagem de automóvel de longa distância com o filho, mas a preocupação com o desconforto pode impedi-los de realizá-la.

Casais sem filhos:
Investem na carreira profissional e nos cursos de pós-graduação em busca de êxito no trabalho. Demonstram espírito empreendedor e podem iniciar um negócio.

A valorização do prazer individual, compartilhado entre o casal, é prioridade. As despesas são feitas com restaurantes, viagens e divertimentos. Ambos têm o hábito de ir aos museus, teatros e cinemas.

Procuram uma casa ou apartamento de médio a alto padrão; o condomínio pode ser mais caro, porque o casal "economizou", ao longo dos anos, com despesas apenas de dois adultos.

A convivência fora de casa se dá entre amigos e familiares, mas a privacidade e a individualidade não podem ser violadas. O casal se matricula em uma academia de ginástica. A valorização da saúde e o cultivo do corpo são considerados importantes para o bem-estar físico.

Um dos cônjuges decide usar o cômodo dos fundos do novo apartamento para praticar escultura em barro, reservando a si um ambiente privado. O outro cônjuge pratica esportes como rapel e surfe, tendo, por meio dessas atividades, uma sensação de liberdade e podendo, a partir delas, socializar e fazer novos amigos.

O casal pode fazer viagens de aventuras que envolvam riscos e desconfortos calculados.

De 40 a 49 anos de idade

Casais com filhos:
O filho tem entre 15 e 24 anos de idade.
O casal sabe das dificuldades da fase da adolescência. Até que o filho adquira consciência de seus limites, entrando na idade adulta. Os pais acompanham cuidadosamente os relacionamentos do filho e suas ações fora de casa.

O desempenho escolar no Ensino Médio, depois o vestibular e a faculdade, exigem investimentos financeiros e apoio. Nesse período, o casal procura uma maior estabilidade financeira e um apartamento novo. As dúvidas quanto ao sucesso profissional do filho são naturais e os pais ficam inseguros com relação ao seu futuro.

Apesar de o filho ter-se afastado por causa de seus interesses pessoais, a partir dos 15 anos de idade, o casal percebe que a dedicação para com o filho excluiu alguns de seus sonhos particulares, como abrir um novo negócio e cursar uma nova faculdade ou uma pós-graduação; ambos os cônjuges entram em crise por não terem realizações pessoais fora do casamento.

Pensam se seria possível viver mais livremente das obrigações maternas e paternas, desfrutando os prazeres individuais e consolidando os projetos guardados na gaveta do tempo. Por um lado, os projetos passam a ser o sonho do casal, por outro, configuram-se frustrantes pelas dificuldades de serem realizados.

Com a conquista do respeito e da maturidade na relação entre pais e filhos, a afetividade pode vir a ser de filho-amigo e de pais-amigos. Mas pode acontecer que o filho tenha menor vínculo afetivo com os pais e que, por isso, a interação entre eles se torne fragilizada, com desavenças frequentes.

O casal pensa em mudar de emprego, porém a insegurança de um novo trabalho e a instabilidade financeira que poderia acontecer preocupa. É preciso lembrar que o filho poderá sofrer consequências com esse tipo de mudança.

Os anos passaram e, próximo aos 24 anos de idade, o filho marca seu casamento. Os pais conhecem a noiva e pensam nos netos. É o início de uma nova fase para a família.

Casais sem filhos:

O casal não sai com tanta frequência de casa; prefere o lazer no aconchego do lar, com os componentes eletrônicos, os filmes em DVD, as músicas, as festas para os amigos e os encontros com pizza, à noite, entre conhecidos e familiares.

Algumas viagens são feitas pelo casal, e a leitura, o contato com a arte e os *hobbies* são mais valorizados. O casal passa a ser seletivo quanto aos amigos.

Eles trabalham muitas horas por dia. O êxito profissional e a estabilidade financeira estão se consolidando.

Os projetos individuais antigos são finalizados e um novo projeto conjunto está surgindo. Com as economias feitas e a venda do apartamento, o casal decide mudar para uma casa de campo aos 49 anos de idade. A relação de cumplicidade entre o casal é profunda. Plantas e flores são cultivadas no jardim da nova casa. Os animais domésticos adotados se caracterizam como os "filhos" do casal.

Os cônjuges criam um *blog* para discutir a preservação ambiental: eles estão preocupados com a poluição planetária e a extinção de espécies animais. Dedicam parte do tempo para essa causa, cedendo a própria casa para que aconteçam reuniões em grupo e participando de alguns eventos de defesa ecológica durante os finais de semana.

O casal decide mudar de emprego e correr os riscos de uma nova fase profissional e financeira, uma vez que não há filhos e nem agregados que dependam deles.

De 50 a 59 anos de idade

Casais com filhos:
O filho tem entre 25 e 34 anos de idade.
Surge uma neta na família. Os avós são tomados de intensa alegria. Uma parte da atenção é dedicada à recém-nascida, ao filho e à nora; outra parte, aos prazeres individuais e aos cuidados com a saúde e alimentação regular.

Tal como boa parte dos avós age com seus netos, eles cuidam da menina, exercendo atividades análogas às que exerceram outrora com seu próprio o filho, enquanto os pais trabalham fora durante a semana.

O casal com mais de 50 anos de idade não exercerá as atividades ou viverá os prazeres relativos a um casal de 25 anos de idade sem filhos; buscará, porém, nos horários disponíveis, o prazer compatível com sua faixa etária. O entretenimento ficará dividido entre cuidar da neta e assistir aos filmes que haviam sido deixados para depois, abrir os livros que não foram lidos por falta de tempo, realizar as viagens tão sonhadas e ir aos teatros e restaurantes com maior frequência.

O projeto individual que não envolve a família é finalmente retirado da gaveta, após muitos anos, passando a ser revisto e readaptado. O casal procura uma casa menor que seja confortável para ambos.

Os amigos são selecionados e partilham dos divertimentos e de encontros casuais do casal, principalmente nos dias em que a neta deste não está sob seus cuidados. Algumas vezes, parte da conversa entre os amigos é sobre a neta, o filho e a nora.

Há cumplicidade entre o casal, sem esquecer que a linhagem da família continuará com a neta.

A espiritualidade desperta mais intensamente; o casal fica motivado a praticar a leitura e entra em maior contato com as artes, interessando-se por cursos de artesanato.

Casais sem filhos:
Os cônjuges criaram um vínculo estreito de amizade e companheirismo, construído ao longo dos anos; a experiência é ampliada e se aprofunda na interação entre o casal.

Novos projetos de vida surgem e antigos se consolidam. Velhos amigos são visitados e novas amizades são feitas, porém com maior seletividade. O casal procura desenvolver atividades sociais e culturais, ou em associações, ou por iniciativa própria, por exemplo, criando um espaço cultural em sua cidade, contribuindo para a educação de crianças carentes e realizando atividades voltadas para o público da terceira idade.

O entretenimento é dividido dentro e fora de casa, realizando antigos e novos passeios, revendo lugares e viajando.

Passar um período na cozinha planejada, elaborando pratos sofisticados e promovendo jantares românticos, ou convidar os amigos para um churrasco no domingo são atividades comuns.

Os animais domésticos fazem parte da família e recebem grande atenção do casal, sendo dedicados altos gastos aos bichos, sobretudo em *pet shops* e em clínicas veterinárias. A sensibilidade não está apenas na relação com os animais domésticos; ela é despertada no relacionamento com a arte, o conhecimento, a meditação e o contato mais íntimo com a natureza.

Acima de 60 anos de idade

Casais com filhos:
A neta está crescendo e os avós sentem orgulho e satisfação por estarem ao seu lado. Organizam sua festa de aniversário junto com os pais, levam presentes e acompanham a educação da menina.

O casal procura manter as viagens e o lazer que se habituaram a fazer. Os amigos estão próximos. Os eventos sociais fazem parte da rotina do casal. Os projetos são realizados e a nova casa é adaptada segundo a realidade dos cônjuges.

A vida espiritual é mais intensa e o contato com a natureza é valorizado. Os cuidados com a saúde física passam a ser priorizados. As caminhadas são feitas em parques e novas amizades surgem no convívio social.

A sensibilidade se abre para o casal, como forma de compreensão da essência interna, aguçando a percepção individual.

O vínculo com a neta, o filho e a nora é indissolúvel, compondo a rotina de suas vidas ao longo dos anos.

Casais sem filhos:
Os hábitos de divertimento e o entretenimento, dentro e fora de casa, são em parte mantidos e em parte renovados. O

convívio social com antigos amigos permanece e novas amizades são feitas ao longo dos anos. Os cuidados com a saúde e a religiosidade são priorizados devido à plena maturidade das ideias e à compreensão dos mistérios da natureza.

Os filmes, as músicas, os livros e o deleite da arte continuam na rotina do casal e o mundo espiritual é vivido mais intensamente. Os projetos individuais passam a ser projetos sociais. A percepção do coletivo transcende o individualismo e a experiência espiritual será priorizada diante do mundo material.

É o momento para o desenvolvimento da sabedoria e para adentrar o mundo interior, em busca de uma fonte de energia vital e mística.

◆◆◆◆◆◆◆◆◆◆

As fases da vida, brevemente citadas acima, não podem ser comparadas às incontáveis experiências reais na vida de um casal com ou sem filhos, e tampouco podem ser comparadas à vida de qualquer pessoa, dadas sua complexidade e suas inúmeras peculiaridades.

Não seria correto afirmar que dois casais passariam suas vidas do modo como exemplificamos, mesmo porque a formação da personalidade do indivíduo é o que determina o conjunto de valores que ele priorizará. Mas poderia servir de exemplo para entendermos que a fase na qual os filhos saem da casa dos pais poderia propiciar o começo de uma vida a dois ao casal com filhos, mesmo que fosse após os 50 ou 60 anos de idade. Contudo, a neta poderá exigir maior dedicação dos avós, o que os faria voltar à rotina dos papéis de pai e de mãe, desta vez com relação à neta.

As experiências que um casal com filhos acumula durante os anos não são as mesmas que o casal sem filhos obtém ao longo da vida. Não podemos esquecer que as prioridades e os valores são diferentes entre os casais sem filhos e os casais com filhos. Portanto,

◆ Correr riscos;

◆ Experimentar situações de aventura;

◆ Estar aberto à mudança de emprego e de moradia;

◆ Valorizar o divertimento e lazer individual;

◆ Dedicar maior tempo ao trabalho na empresa;

◆ Ter a sensação de liberdade sem dependentes na família;

◆ Fazer o próprio horário independente de terceiros na família.

Tais atitudes e sensações impactam os valores que os casais sem filhos aprenderam a cultivar, o que não significa que um casal com filhos não venha a ter essas experiências.

Nesses termos, os valores podem ter pesos diferentes na decisão de um casal ter ou não filhos. Essa é uma decisão a ser tomada de forma consciente pelos cônjuges.

É uma decisão que implicará a prioridade de certos valores e um estilo de vida determinado por anos a fio.

Famílias com animais domésticos

O cão, ao portão, espera o dono chegar do trabalho; a gatinha sobe no colo de quem se senta no sofá; os bichos pulam na cama para dormir; a graça do animalzinho rolando no chão e pedindo carinho comove a família.

As pessoas, hoje em dia, criaram uma relação afetiva jamais vista com os animais domésticos.

Davi, professor universitário e artista plástico de 43 anos, inclui seus animais na sua família:

"Temos dois gatos. Eles completam nosso ambiente familiar. Tê-los em nosso convívio significa compartilhar a inteligência humana com a sabedoria sensível dos animais, que vivem em outra frequência e energia. Minha família são (sic) meus pais, irmã, sobrinhos, tios, meu companheiro e sua família, meus gatos, meus amigos. Isso significa muito."

Pesquisadores têm estudado o relacionamento humano familiar atual com os animais domésticos. De acordo com um estudo realizado, o animal de estimação é visto como um membro da família, capaz de alterar a dinâmica da casa e de estabelecer uma estreita relação afetiva com a família. Com a criação desses laços afetivos, surgiu um mercado bilionário no segmento de animais de estimação.

Algumas famílias têm aquário com peixes, hamster, papagaio, coelho e até tartaruga. Em um *pet shop*, além da ração e das guias para cães e gatos, é possível encontrar roupinhas, óculos, brinquedinhos, camas, cosméticos, ossos, bifinhos, hidratação de chocolate para os pelos, protetor solar e uma infinidade de artigos especiais. A seção de roupas lembra uma loja de departamento e a farmácia parece uma pequena drogaria.

No Brasil, existem 35 milhões de cães e 18 milhões de gatos. Esse segmento rendeu R$10 bilhões no ano passado. Há 25 mil *pet shops* espalhados pelo país. Além disso, os tratamentos com veterinários são caros e as vacinações são anotadas em carteirinhas, lembrando a carteira de vacinação dos postos de saúde[51].

Nos Estados Unidos, mais da metade dos casais sem filhos entre 35 e 54 anos de idade possui pelo menos um animal doméstico em casa[52].

Os casais sem filhos norte-americanos gastaram, em média, US$ 284,00 por mês com animais domésticos, enquanto os casais com os filhos gastaram cerca de US$ 274,00[53].

Como um casal sem filhos, nós temos cães e eles representam nossos filhos. Em nossa casa, tratamos os cães com carinho e com todos os cuidados, dando a eles a mesma atenção que os pais oferecem aos filhos. Conversamos com eles e cada um, ao seu modo, responde; também repreendemos atitudes que consideramos erradas e tentamos adestrá-los, estabelecendo comunicação e vínculo afetivo.

Temos consciência da diferença entre um indivíduo humano e um animal irracional. Porém, acabamos transferindo parte dos sentimentos para os animais, que estão sempre disponíveis para brincadeiras.

Os animais de estimação são tratados como eternas crianças.

Maíra, 41 anos, tem três gatos:

"Adoro felinos. Acho-os elegantes, limpos, divertidos e afetuosos, e eles me fizeram entender o que é interação (diferente da experiência com cachorros). Eu tinha uma gata e, como andava viajando muito, peguei um gato para fazer companhia (sic). Outro dia, uma gatinha fugida cruzou meu caminho e não consegui deixá-la na rua. Tentei muito encontrar seus donos; resultado: trouxe ela (sic) para casa também. Os veterinários dizem que com até cinco gatos a pessoa não tem 'problemas psiquiátricos'. Eles são uma espécie de companhia muito interessante, tenho imenso carinho por eles e acho até que transferi minha maternidade para eles."

O animal doméstico que vive na casa do casal e do solteiro sem filhos tem o mesmo valor que os filhos têm para os pais;

eles se tornam os filhos do casal ou do solteiro que mora sozinho: da mesma forma que os pais ficam felizes ao ver seus filhos, os casais *childfree* e os solteiros sem filhos sentem alegria por estarem ao lado de seus animais.

Apesar dessa relação afetiva estabelecida entre donos e animais, se os bichos reclamam, você dá uma bronca e pronto, depois o dono e o animal fazem as pazes (ainda que alguns demonstrem ressentimentos). Quando você quer viajar, o bichinho fica em um hotel de animais ou nas novas creches para cães e gatos que estão surgindo; se preferir, são colocados no carro para seguirem viagem. Caso você se esqueça de alimentá-los eles ladram ou miam. Mas, se você quiser ficar sozinho, sem nenhum animal por perto, leve todos ao canil e gatil com água e ração, eles acabam se habituando.

Ficamos surpresos quando descobrimos que existem agências de turismo que realizam excursões com os cães e seus donos, sendo que o cãozinho sempre escolhe o lado da janela. Nessas excursões, além de visitarem belos locais turísticos, são dadas palestras sobre a saúde e o bem-estar do animal. No final da viagem, os bichinhos ganham um "mimo" da empresa.

Em casa, falamos com os cães como se uma pessoa estivesse ali. O animal doméstico, na sociedade contemporânea, representa a afetividade e a ligação com a natureza de que nos esquecemos. Ele oferece amizade incondicional, é tolerante, está sempre disponível para o carinho e é uma fonte segura de afeto e de lealdade ao dono. Este, pela companhia e pelo afeto do animal, se sente menos solitário e tem mais motivos para passear em parques (o que ajuda a amenizar a vida sedentária) e se entreter, reduzindo, assim, seu estresse.

P. P. S., artista de 40 anos, tem dois cães, um casal de *golden retrievers*: "Pretendo ter filhotes deles e outros animais. Descobrir o significado deles é um processo diário. Apenas sinto que são infinitas fontes de afeto, carinho...".

Para os casais *childfree* e para os solteiros sem filhos, o cão, o gato e demais animais se tornam membros da família.

A liberdade do casal *childfree* e dos solteiros que moram sozinhos não sofre tanta mudança se houver animais de estimação na casa. Criar um animal é uma opção que poderá ser prazerosa e contribuir com a saúde e o bem-estar das pessoas.

E, como disse Machado de Assis: "Felizes os cães, que pelo faro descobrem os amigos".

Filhos não curam a solidão

A crença de que os filhos irão cuidar dos pais, quando estes envelhecerem, em parte é egoísta, em parte é fantasia. Ter a companhia dos filhos acabou motivando certos pais a decidirem pela procriação, com medo da solidão e do envelhecimento.

P. P. S., artista plástico de 40 anos, é radical quanto a isso:

> "São pessoas covardes, que têm medo da vida e de enfrentar a si próprias, seus medos, seus erros, seus defeitos, a queda. Contudo, nada é garantia de nada. Nenhum filho é nota promissória de ser cuidador futuro na velhice (sic) do pai e da mãe. E se o filho morre primeiro? O pai e a mãe ainda têm que amargar uma depressão aliada à senilidade... Cruel, hein!"

Pais que esperam receber dos filhos uma compensação, quando envelhecerem, podem acabar se decepcionando. Alguns acusam os filhos, pautando-se pelo muito que fizeram a eles quando jovens, de que pouco deles recebem; para alguns pais, ainda que os filhos façam tudo o que há ao seu alcance, nunca será o suficiente.

É uma maneira egoísta de conceber crianças, esperando uma recompensa, no futuro, pelo investimento feito nos filhos.

Se um casal ainda estiver em dúvida quanto a ter filhos para escapar da solidão, é melhor que não conte com isso.

Para R. M., 44 anos, casada e sem filhos, a solidão não pode ser argumento para ter filhos, já que existem outras opções:

"Entrego nas mãos de Deus e sempre cultivo minhas amizades. Com certeza é melhor ter bons amigos do que um filho que mora longe ou é um ausente (sic). Nos finais de semana, reservo um tempo para fazer companhia para minha mãe e sogra; as duas são viúvas, e é aí que eu percebo o quanto é importante ter amigos, falar das mesmas ansiedades e experiências. É lógico que minha mãe gosta de estar comigo, mas percebo que com as amigas ela se diverte mais... Eu tenho comigo (sic) que o mais importante na vida é ser feliz, uma pessoa 'leve', ser alegre, poder ajudar os outros... Resumindo, ser uma boa companhia para os amigos e familiares, não um peso para os filhos carregarem."

Imagine que os filhos são criados por pais que os protegem a vida inteira e que, depois de alguns anos, irão querer sua proteção. Esses pais esquecem-se de que os filhos irão construir suas próprias vidas.

Mariana, advogada de 47 anos que decidiu não ter filhos, diz que "filhos devem ser criados para o mundo, e não para 'matar a solidão'. Acho esse pensamento muito possessivo".

Para termos uma noção dessa realidade, dos 21 milhões de idosos que vivem no Brasil, 83 mil estão em asilos[54].

É difícil julgar se os filhos abandonaram seus pais idosos, se não tinham condições de oferecer a eles os cuidados necessários ou se não restou ninguém na família para cuidar deles.

Há uma frase do escritor Gabriel Garcia Marquez que diz: "O segredo de uma velhice agradável consiste apenas na assinatura de um honroso pacto com a solidão".

A solidão não vem com a velhice, mas se agrava com ela. Maíra, professora universitária de 41 anos, nos contou a seguinte história:

"Recentemente, fui ao aniversário de uma senhora (acho que de 86 anos), mãe de uma aluna minha que tem 60 anos. Lá estava uma das irmãs da aniversariante, que está sofrendo de Alzheimer. Ela é viúva e não tem filhos. Isso foi comentado durante o almoço. Senti que as outras mulheres se sentiam aliviadas em relação ao fato de serem mães, porque não estariam sozinhas no futuro. Solidão eu sinto desde sempre; não acho que um filho vá eliminar isso da vida de um ser humano."

Essa ideia de que filhos não eliminam a solidão é compartilhada por Davi, professor e artista plástico de 43 anos: "Não acredito que solidão esteja relacionada à presença de filhos ou não. Conheço muitas pessoas solitárias com filhos ou com uma família grande".

Achar que os filhos podem preencher o vazio da relação do casal, ou servir de solução para a solidão de uma mãe e de um pai, é um grande equívoco. Ninguém tem o poder de curar a ferida da solidão; pode até amenizar a dor da mágoa, mas não se consegue resolver o sentimento de vazio que ela provoca.

Quando os filhos começam a estudar no Ensino Fundamental II e depois no Ensino Médio, fazem cursos de língua estrangeira, piano, judô, balé, praticam esportes, estudam após o horário de aula na biblioteca da escola e navegam na internet, eles se afastam lentamente dos pais, sem que estes percebam. Depois, entram na faculdade, ingressam no mercado de trabalho e começam a namorar, ficando ainda mais distantes.

Então, alguns decidem morar sozinhos, outros se casam e mudam de bairro ou de cidade. Definitivamente, você está só!

Letícia, dançarina de 40 anos, casada e sem filhos, concorda com isso:

"Quem tem medo da solidão ainda não conseguiu aceitar a sua própria condição no mundo. Fico pensando se não é uma escravidão para a criança e uma ilusão dos pais. Nada garante que seu filho morará perto de você, que a família conviverá bem... Fora isso, acho que a expressão 'filho é para o mundo' define bem a aceitação de que, uma vez colocado no mundo, cada um tem o seu caminho. Sinto que nunca estarei sozinha, embora ache que da solidão ninguém escapa, tendo filhos ou não."

Mesmo assim, as pessoas perguntam se a falta de filhos não cria uma sensação de solidão.

É interessante que um casal sem filhos ou solteiros que moram sozinhos remetem à ideia de solidão – uma crença que não se assenta sobre a realidade.

A solidão tem um lado positivo. Por exemplo, quando você precisa estar acolhido em seus pensamentos, reservado ao seu mundo particular, ela é bem-vinda.

Primeiramente, se não há expectativas com relação a filhos, também não haverá decepções; em segundo lugar, aprende-se a viver apenas com outra pessoa, ou mesmo sozinho; e, por pior que seja a sensação da solidão, podemos tomar a iniciativa de sair da rotina e conversar com alguém interessante ou usar os momentos solitários para nos conhecermos melhor, lermos um livro ou ouvirmos boa música.

Como um casal sem filhos, valorizamos o silêncio. O barulho e a correria, que normalmente as crianças fazem, acabam dificultando a concentração. Ficar sozinho em casa tem suas vantagens: você poderá ouvir mais seus pensamentos e cuidar melhor do seu mundo particular.

A criança exige atenção permanente; ela grita, esperneia e chora; ela quer interagir com o mundo, chamar a atenção, descobrir novas formas de relacionamento e se expressar com os pais e com os irmãos. Os casais que preferem estar a sós e os solteiros que moram sozinhos, sem a interferência de crianças ou de adolescentes, precisam avaliar as consequências de uma possível decisão de um dia serem pais.

Ser um casal ou solteiro sem filhos, de algum modo, representa um pacto com a solidão, não no sentido do isolamento, mas no de respeito à individualidade.

Em um casal *childfree*, permite-se que o cônjuge entre em sua vida íntima, autoriza-se o parceiro ou a parceira a participar de seu mundo, compartilhando o tempo a dois, dividindo sonhos e afazeres. Essa interação passa a ser feita pelos laços de confiança que o casal conquista.

Podemos dizer que foram os sentimentos de afeto e de respeito, durante os anos de convivência como marido e mulher, que uniram e fortaleceram nossa relação de casal.

E, mesmo sem filhos, não estamos a sós; tampouco vivemos em uma ilha deserta, isolados do resto do mundo. Existem os amigos antigos, os animais de estimação, que fazem uma ótima companhia, e os novos amigos que acabam surgindo.

O lazer e os interesses comuns entre adultos aproximam novos amigos e fortalecem antigas amizades.

As programações de lazer e o divertimento surgem como prioridades do casal. Mas também sempre haverá disposição para que um dos cônjuges fique sozinho e passe o dia em casa, lendo um bom livro e ouvindo música, deitado no sofá.

Pior é com filhos na ciranda das compras

Em uma família contemporânea, crianças pequenas escolhem roupas, brinquedos, marcas de celular, pacotes de operadora de telefonia móvel, o automóvel da família e até o lugar onde passarão as férias.

Aquilo que chamávamos de "limite dos filhos" ficou antiquado. Alguns pais não sabem a diferença entre o respeito à opinião de uma criança e a plena aceitação de suas decisões. Crianças e adolescentes precisam ser educados, entender que os pais viveram mais do que eles e que, por isso, trazem uma maior bagagem de experiência. Não é questão de perder o controle, pois a criança já está no controle.

A questão é: quais são os valores que organizam uma sociedade?

Nossa impressão é que os pais abrem mão de seus desejos, dos amigos e de novos relacionamentos para priorizarem os filhos.

Essa escolha cria, muitas vezes, filhos cruéis no relacionamento com os pais, chegando a demonstrar abuso de vontade, chantagem emocional, reações agressivas e situações de constrangimento em locais públicos.

Alimentar o desejo dos filhos movimenta um mercado de 50 bilhões de reais, que atende a cerca de 35 milhões de crianças[55]. Hoje, as crianças brasileiras influenciam 80%[56] das compras de uma família e mais de três quartos da população de mães está disposta a pagar por marcas mais caras para agradar aos filhos[57].

C. S., 33 anos, aluna do curso de Publicidade e Propaganda, separada e com uma filha, lembra como é difícil dar à filha de sete anos os produtos que ela quer.

"Tento educar minha filha para não virar uma consumista, mas é complicado. A mídia parece ser mais forte do que meus argumentos. As amiguinhas dela na escola também influenciam suas decisões de compra. Fico entre a cruz e a espada com ela. Vejo nas minhas amigas que são mães que esse problema não é muito diferente (sic)".

Será essa a razão pela qual se estimulam tanto os casais a terem filhos e se escondem tanto as dificuldades enfrentadas pelos que os têm?

O mercado infantil possui grife de roupas, brinquedos, bonecas, tênis, sandálias, bens eletrônicos e de informática, chegando a milhares de produtos. Para pagar essa conta, os pais terão que trabalhar mais, tornando-se mais ausentes no que diz respeito a acompanhar o desenvolvimento da criança, gerando, com isso, um ciclo vicioso.

As empresas planejam estratégias de *marketing* visando ao aumento da nova categoria de consumidores mirins. Estes se tornam adultos em suas decisões antes mesmo de deixarem de ser crianças.

Não nascemos consumistas; esse é um valor que adquirimos a partir da cultura que seguimos. "Amar" não é sinônimo de "presentear", mas assim se acabou confundido no imaginário da cultura popular.

Para o sistema, quanto mais crianças houver em uma família, maior será o consumo desta. Porém, se o casal não tiver filhos, outras estratégias de *marketing* são criadas.

Não são apenas as crianças e as famílias com filhos que estão na mira do mercado.

Conforme observa o professor Celso:

"A família, em sua estrutura clássica, está cada vez mais distante do afeto e dependente do consumo. O sistema e os mecanismos de mercado buscam atingir indivíduos ou criar necessidades de consumo segmentado. Indiferente (sic) de ser desta ou daquela família, a criança é cooptada pelo universo das compras pelo seu potencial individual. Podemos perceber que é um caminho sem retorno. A partir da infância, os indivíduos são inseridos no espaço da sedução mercadológica, tecnológica ou por quaisquer que sejam os produtos disponíveis naquela sociedade."

No caso de cônjuges sem filhos, as empresas vêm acompanhando de perto o crescimento desse estilo de vida, adaptando a eles seus serviços e produtos.

Tratando-se ou não de casais sem filhos, o consumo consciente depende da personalidade e dos valores de cada um, de modo que haja um posicionamento individual contra o consumismo desenfreado.

Os casais *dink*, conforme vimos anteriormente, fazem parte de um rentável segmento do mercado, de forma que alguns serviços começam a ser adaptados a esse público.

As pousadas que não aceitam crianças oferecem serviços exclusivos a casais sem filhos, mas existem em número reduzido.

Nos Estados Unidos, a expressão *kid-free zone*, que é traduzida como "local livre de crianças", tem-se tornado comum. Crianças não são admitidas em alguns restaurantes, salões de festas e até mesmo em certas praias, consideradas exclusivas para adultos.

A realidade que priva o acesso de crianças a alguns locais públicos é vista como absurda no Brasil.

Certa vez, fomos a um restaurante em uma noite de sábado. Notamos que grande parte da clientela era de casais com filhos. No local, não havia um ambiente reservado para crianças; elas se amontoavam nas mesas, correndo de um lado para o outro e gritando, como se estivessem na sala de suas casas. Os pais ora observavam atentos os filhos, ora se desligavam deles, passando a conversar.

Seria impossível apreciar um momento romântico, com vinho, naquele lugar. Olhamos um para o outro e saímos, sem fazer o pedido. Então, pensamos que um *shopping* poderia ser uma boa opção, mas foi uma péssima ideia. O *playground* ficava logo abaixo da praça de alimentação, com dezenas de crianças brincando aos berros. Ao olharmos a sorveteria, vimos que a fila dobrava a praça de alimentação, cheia de garotas e garotos. Pensamos em ir ao cinema, mas, sendo metade dos filmes infantil e outra metade dirigida aos adolescentes, desistimos e resolvemos ir, de elevador, até a garagem.

Seria outra aventura descer pelo elevador: havia um carrinho de bebê, mães com crianças no colo e grupos de pré-adolescentes se apertando. Acabou sendo mais sensato descer os vários lances de escada até chegarmos à garagem, no subsolo. Depois, foi uma batalha enfrentar o movimento de carros no estacionamento do *shopping*. Finalmente, conseguimos sair.

Pensamos em ir a um barzinho próximo de onde estávamos, mas havia tantos adolescentes, em total clima de paquera, que o nosso espírito romântico acabou nos levando de volta para a casa. Não era aquilo que tínhamos planejado para a noite.

Temos a impressão de que, com raras exceções, os locais de lazer ainda não estão totalmente adaptados aos casais sem filhos. Os lugares de divertimento, em sua maioria, ou foram pensados para pessoas solteiras ou para as famílias com filhos. A quantidade de espaço para casais de namorados com maior tempo de convivência e casais sem filhos ainda é restrita.

> O divertimento e o lazer no Brasil foram construídos pensando no modelo tradicional de família e no solteiro, e não nos casais sem filhos.

Claro que há locais de lazer adaptados para os casais *childfree*, mas eles existem em menor número em comparação aos que foram projetados para o modelo de família com filhos ou para os adolescentes solteiros.

Os serviços no Brasil estão precariamente preparados para os casais *childfree*. E como poderia ser diferente, se o tema "casais sem filhos" mal começou a ser discutido?

Sem filhos: culpado ou inocente?

Fomos almoçar em um restaurante no domingo. Ao nosso lado, havia uma mesa com dois casais e seus filhos. A mãe mais jovem tinha os cabelos castanhos e curtos; sorria com a cabeça de lado e apoiava a mão sobre o carrinho de seu bebê, empurrando-o para os lados. A outra mãe era ruiva; falava com a voz esganiçada e, por vezes, chamava a atenção das duas meninas, de cinco ou seis anos de idade, que se agitavam entre as cadeiras. Os maridos conversavam sobre seus trabalhos, alheios à conversa das esposas e despreocupados com os filhos.

A ruiva criticava nervosa e em alto tom, a absurda decisão de seu irmão de não ter filhos:

– Meu irmão não tem juízo. Casado há cinco anos, disse que não vai ter filhos.

– Por que não? – perguntou a morena.

– Disse que ele e a mulher não querem deixar de viajar, querem ser livres. Sempre achei que ela não era normal.

– A mulher dele não sabe como uma criança é importante para o casal – comentou a morena.

– A mulher dele é uma egoísta. Pensa apenas na carreira e em sair nos finais de semana. Ela vive dizendo que não tem jeito para ser mãe.

– É uma individualista. Então, ela não é mulher.

– Meu irmão já era esquisito, mas acho que aquela "mulherzinha" acabou influenciando a cabeça dele. Ela parece uma menina querendo abraçar o mundo. Pede tudo para ele, e o bobo faz suas vontades. Agora, vem com essa conversinha de não ter filhos.

– Ela não sabe como é bom ser mãe. Depois, vai se arrepender – disse a morena, convicta.

– Ela é uma covarde. Minha mãe está chocada e meu pai, decepcionado. Por mais que os filhos deem trabalho, nós sabemos como eles fazem falta.

– Sua cunhada é doente.

– Deve ter medo de ficar com os "peitos" caídos, de perder a silhueta – disse a ruiva, esbravejando irritada.

– Que absurdo!

– Deus vai castigar aquela "ameixa seca". Os filhos abençoam a família. Eles dão vida à casa.

– É verdade. Antes de ter meu bebezinho, eu vivia deprimida, a ponto de tomar remédios. Depois que meu filhinho nasceu, minha vida mudou. Não me sinto mais sozinha. Até parei com os comprimidos.

– E sabe do pior? Quem vai cuidar deles quando ficarem velhos? – comentou a ruiva.

Para nossa surpresa, o diálogo manteve-se por mais de uma hora. Sentimo-nos na época da caça às bruxas, durante a Idade Média.

Os casais sem filhos por opção sofrem com preconceitos sociais. São rotulados de anormais, egoístas e covardes.

Ouvimos ainda que "mulher sem filhos é como uma árvore seca, sem a capacidade de dar frutos", como se a procriação fosse a única finalidade da existência feminina.

Para o homem o peso de não ter gerado filhos é menor em relação à sociedade. Alguns homens casados que têm filhos comentam: "É melhor não ter filhos, meu amigo. Depois disso sua paz acaba".

Mas para a mulher esse julgamento é quase uma condenação, como se o corpo dela não "funcionasse" para viver a beleza da maternidade. O problema da mulher em não engravidar acaba sendo associado à incapacidade de doar o corpo para gerar uma vida. Isso esconde um profundo significado na cultura:

> O significado arcaico de que corpo da mulher não pertence a ela, mas sim ao imperativo social da procriação.

Mulheres casadas e sem filhos com quem conversamos admitiram que sofrem pressões da família para engravidarem, principalmente por parte dos pais, que perguntam: "Quando eu vou ganhar um neto?"

A nossa sociedade, de influência quase que somente cristã, defende a ideia da mulher procriadora, que tem no corpo a divina tarefa de gerar a vida. Essa crença atravessou outras culturas desde a Antiguidade por meio do modelo de família matriarcal, em que a mulher tinha o poder soberano na sociedade e era venerada ao gerar a vida e ao fertilizar a terra para que os alimentos ali nascessem.

Há uma passagem bíblica que diz:

> "Eis que os filhos são heranças do Senhor, e o fruto do ventre, o seu galardão. Como flechas nas mãos do valente, assim são os filhos da mocidade. Bem-aventurado o homem que enche deles a sua aljava; não serão confundidos, quando falarem com os seus inimigos à porta." (Salmo 127: 3-5 NVI).

Trata-se da crença de que os filhos são sagrados e de que o casal com a prole será respeitado entre a sociedade; caso contrário, o casal será visto como egoísta e poderá ser considerado incapaz de amar e cuidar de um bebê, vivendo em um ninho vazio, que causa uma sensação de tristeza e de uma vida incompleta.

Egoísta não seria colocar no mundo uma criança e não cuidar dela? Vimos um menino de 6 anos de idade sozinho em um posto de saúde, com a mão sangrando. Ele trazia a identidade do pai para ser atendido. Após as enfermeiras terem feito o curativo no ferimento e a medicação ter sido administrada pelo médico, a assistente social do posto de saúde entrevistou o menino e percebeu que ele estava desacompanhado dos pais. Imediatamente ela o encaminhou ao Conselho Tutelar.

Existem mães que, quando vão visitar um parente ou amigo, colocam os filhos diante da televisão para entretê-los, livrando-se dos aborrecimentos e das reclamações, como também existem pais que, para poderem viajar sem os filhos, empurram as crianças para os avós. E, ainda, existem mulheres jovens, recentemente separadas e com filhos, que pedem frequentemente às suas mães para cuidar das crianças enquanto se divertem com as amigas.

Cuidar de alguém não está apenas na maternidade, mas na forma de estar ao lado da pessoa no dia-a-dia.

Cuidar é viver uma rotina, olhando para fora de si, ajudando amigos e pessoas que você mal conhece; é tratar bem dos animais que necessitam de cuidados, de vizinhos que pedem atenção e das crianças que querem simplesmente conversar.

O cuidado não tem a ver apenas com a maternidade ou com a paternidade; é uma atitude humana, gratuita e benevolente, que está na alma.

A decisão de não ter filhos não é egoísta, é apenas uma opção de alguns casais que está apoiada em vários questionamentos. Mas essa decisão é mais complexa do que os motivos das pessoas para não ter filhos. É mais profunda do que o preconceito social. E é mais contundente do que as pressões da religião e da família sobre os casais.

Apesar dos motivos citados nos capítulos anteriores pelos casais que não tiveram filhos, constatamos, em uma pesquisa que fizemos na forma de entrevista, que havia traumas de família entre dos entrevistados, confrontando as experiências negativas pelas quais haviam passado aos aspectos psicológicos relativos à decisão dos casais de não terem filhos. Além dos motivos declarados, as experiências que as pessoas têm com modelos de parentalidade são muito importantes para determinar a escolha. E isso acontece tanto no registro da consciência quanto de forma inconsciente.

De modo que a decisão desses casais por não ter filhos não se deve apenas aos motivos conscientemente declarados, mas às experiências traumáticas vividas na infância, como a separação dos pais, o abandono dos filhos por parte dos genitores, a rejeição da criança desde o estado fetal até a adolescência e os maus tratos sofridos, servindo como modelo negativo de parentalidade e refletidos no registro da consciência e da inconsciência do indivíduo.

Algumas dessas pessoas que entrevistamos relataram que, por um longo período, foram expectadoras de pais alcoólatras, mães viciadas, situações de brigas na família, a mãe lutando pela posse dos filhos durante a separação, sérios problemas financeiros, tios e tias que adotaram sobrinhos por negligência dos pais.

Esse cenário familiar desestruturado levou-nos a uma melhor compreensão sobre os impactos que os traumas provocam na decisão de algumas pessoas de não terem filhos.

Entretanto, observamos que, das pessoas entrevistadas, uma parcela havia vivido alguns desses traumas, e alguns até mais cruéis, e tiverem filhos. Afinal, do ponto de vista psicológico, a decisão por ter filhos também pode ser influenciada por experiências nas famílias de origem, como uma forma de compensar ou de "reparar" inconscientemente algumas vivências negativas.

Houve também o depoimento de pessoas que não sofreram esses traumas, vinham de famílias bem estruturadas psicologicamente e decidiram não ter filhos. Não existe uma regra, nem um modelo.

Mas, ainda que não exista um padrão psicológico na decisão de ter ou não filhos, o impacto de um trauma sobre essa decisão está na intensidade e na sensibilidade da pessoa, que sofre uma ou mais experiências consideradas negativas e traumáticas. A questão passa a ser o quanto o trauma e a experiência negativa influenciaram a estrutura psicológica da pessoa.

Tivemos um relato de uma mulher com filhos. O marido era alcoólatra e a agredia diante dos filhos. A mulher e as crianças se sentiam ameaçadas. Ela respondia inconscientemente com o mecanismo de defesa, subjugando-se ao marido; aceitava aquela situação para proteger os filhos do pai agressor, como se estivesse no cativeiro, acuada em um mundo de humilhação e dor sem saída.

Crianças que são expectadoras desse tipo de cena podem relacionar o trauma sofrido com suas fragilidades quando adultos, expondo-se a algumas situações de dor que lembram a infância, como brigas e ameaças sofridas.

Como foi dito por uma das mulheres que entrevistamos. Ela optou por não ter filhos, pois acreditava que poderia ficar aprisionada ao casamento se os tivesse, que uma separação entre ela e o marido traumatizaria a criança. Ela havia passado pela experiência da separação de seus pais quando criança e não aceitaria que seu filho fosse vítima desse tipo de experiência negativa. Ela teria que passar a vida infeliz no casamento para proteger o filho do sofrimento de viver com pais separados. Então, decidiu não ter filhos.

As circunstâncias e situações podem ser variadas, segundo o depoimento de cada pessoa e os processos inconscientes diferentes entre si, não correspondendo à decisão de todos os casais que não tiveram filhos, ainda que os traumas e as experiências negativas familiares possam representar uma parcela da vivência de algumas pessoas no seu histórico familiar.

Julgar o outro sem entender a complexidade de uma decisão, na sutileza dos aspectos psicológicos e sociais que ela envolve, é o mesmo que aceitar o preconceito e voltar-se contra alguém, não enxergando uma pessoa dentro de seu mundo e deixando de ver as nuances de uma decisão tão importante na vida.

É comum ouvir das pessoas: "É uma pena que vocês não tiveram filhos, tenho certeza que dariam excelentes pais".

Há uma frase de Ronnie McJutice que diz: "Casais sem filhos sabem exatamente como você deve educar os seus".

Não ter filhos passou a ser visto quase como uma atitude imoral na sociedade. O direito individual de um casal na sua decisão acaba sendo desrespeitado. A privacidade sofre uma invasão, como no diálogo do restaurante, quando a mulher ruiva critica a decisão do irmão e da cunhada de não terem filhos.

É o mesmo que você ouvir que é errado não ter filhos se existem tantas crianças para serem adotadas no mundo.

A questão seria: por que essas crianças foram abandonadas?

Excetuando aquelas cujos pais faleceram e não têm família, as outras foram negligenciadas pelos pais e parentes e até por sociedades que se dizem perfeitas em relação às crianças.

Se existem motivos para falar de pecados ou erros na sociedade, abandonar uma criança é o máximo da crueldade humana.

Portanto, chegamos ao limite da falta de respeito à vida.

Citando o Art. 3º do Estatuto da Criança e do Adolescente, da Lei nº 8.069, de 13 de julho de 1990, teremos uma ideia dos direitos da criança e do adolescente, principalmente de valores éticos a serem pensados quando a decisão de um casal for a de ter filhos.

"A criança e o adolescente gozam de todos os direitos fundamentais inerentes à pessoa humana, sem prejuízo da proteção integral de que trata esta Lei, assegurando-se-lhes, por lei ou por outros meios, todas as oportunidades e facilidades, a fim de lhes facultar o desenvolvimento físico, mental, moral, espiritual e social, em condições de liberdade e de dignidade."[58]

Mas essa não é a condição geral das crianças. Basta considerarmos a situação atual de desigualdade na distribuição de riquezas. A população mundial atingiu a cifra de 7 bilhões em outubro de 2011, sendo que o principal aumento é nas áreas mais pobres, como África, Ásia, América latina e Oceania. Não é sequer possível requisitar que estas áreas tenham o mesmo padrão dos países ricos, pois o planeta não tem recursos para sustentar tamanho consumo. Sendo assim, o Fundo de População das Nações Unidas (ONU), segundo seu diretor Babatunde Osotimehin, sugere uma ação tanto no sentido da formação de cidades sustentáveis e educação com relação ao consumo, quanto – e isso nos interessa especialmente – no campo da educação de meninas e mulheres.

Para o diretor do Fundo de População das Nações Unidas, "a educação de meninas e mulheres permite que elas tenham menos filhos do que suas mães e avós tiveram e que escolham esse caminho quando e se puderem".[59]

E reconhece que a educação masculina também é tão importante quando a feminina, já que "é importante que os homens se vejam como pais responsáveis, que tenham crianças que possam sustentar".

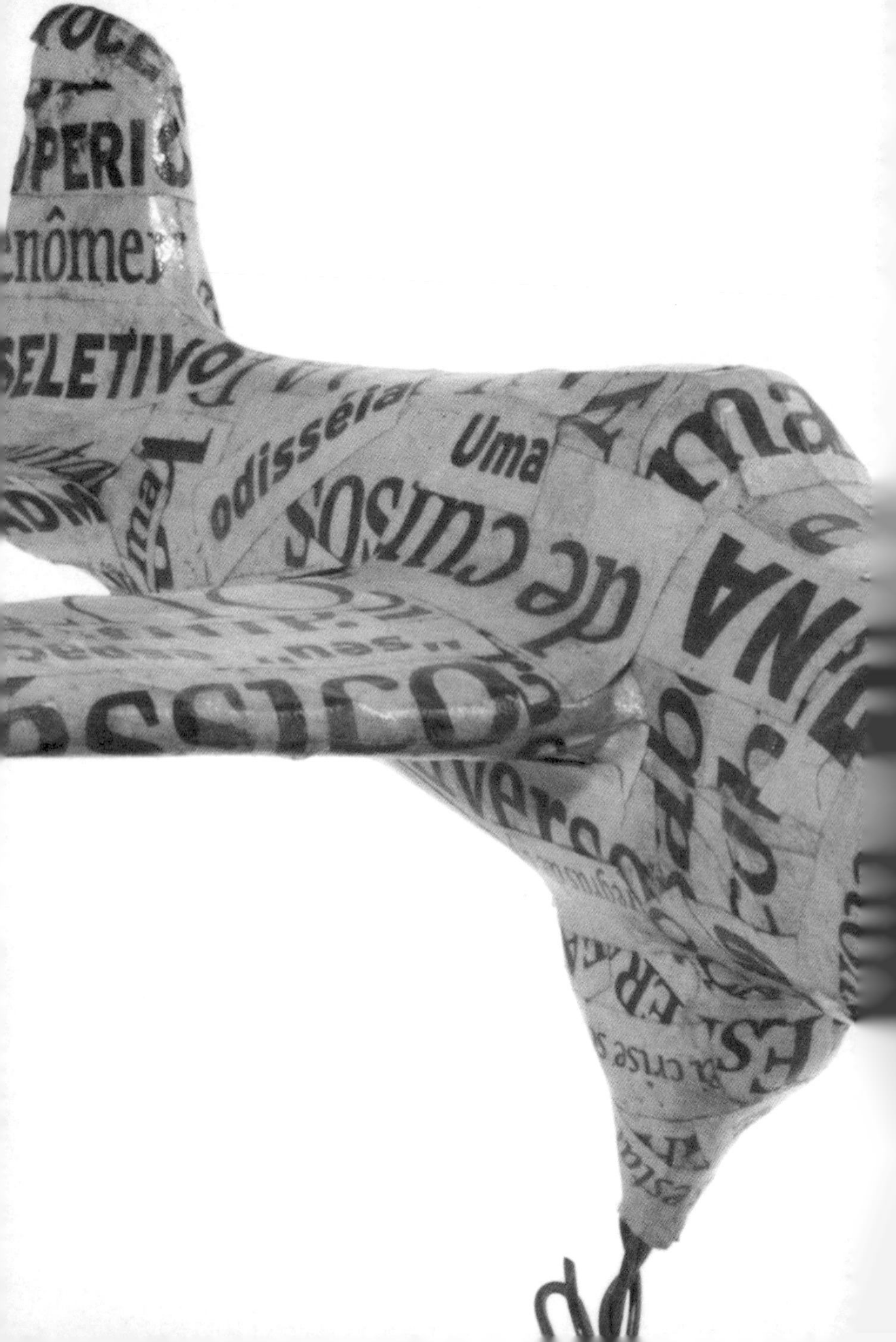
SELETIVO
odisséia
Uma

capítulo 5

cenário internacional: apertem os cintos, as crianças sumiram!

CAPÍTULO 5

Cenário internacional: apertem os cintos, as crianças sumiram!

Imagine ter de pagar imposto por você não ter filhos...

Ir ao banco e descobrir uma conta aberta de 200 euros para o seu bebê, receber 750 euros por mês pelo terceiro filho, participar do concurso "barriga de grávida pintada" com direito a prêmios, ter no país 2.500.000 contas abertas em bancos para os bebês nascidos e não precisar ir à empresa durante vinte semanas para a mãe e duas semanas para o pai depois do nascimento do neném.

É o paraíso!

Os governos da União Europeia estão preocupados com a baixa taxa de fecundidade. Atualmente, existem poucas mulheres grávidas, um grande número de casais sem filhos e idosos em vários países.

Os programas de incentivo para as famílias procriarem são diferentes de um país para outro; por exemplo, a França e a Inglaterra pagam em euros para as famílias terem filhos, em Portugal o governo estuda a possibilidade de abrir uma poupança para os bebês nascidos, os portugueses criaram concursos e eventos para grávidas e a Eslováquia está pensando em criar um imposto para casais sem filhos.

Mas o que existe em comum entre eles é a necessidade de aumentar o número de filhos por casal.

◆ A média de filhos por mulher na União Europeia varia entre 1,37 filhos e 1,7 filhos; sendo que a taxa para reposição mínima da população é de 2,1 filhos.[60]

◆ Na Alemanha, é difícil a mulher conciliar o trabalho com os cuidados do bebê. Além disso, o custo para criar uma criança é elevado. O Instituto Nacional de Estudos Demográficos divulgou que uma alemã em cada cinco não terá filhos.

◆ No Reino Unido, o trabalho e o lazer são mais valorizados pelas mulheres do que a maternidade. Segundo o *The Guardian*, apenas 36% das inglesas terão filhos, o restante prefere trabalhar e ter horas de lazer disponível. A The British Childfree Association, fundada na Inglaterra, reivindica para os casais sem filhos os mesmos privilégios e direitos fiscais e trabalhistas, que os casais com filhos possuem.

◆ Na Espanha, a mulher que cuida da família e trabalha tem enfrentado inúmeras dificuldades para conciliar a vida profissional com o papel de mãe, sendo que o número médio de filhos por mulheres é de 1,07.[61]

◆ Um estudo foi apresentado no 5º Congresso Português de Sociologia, baseado nos dados da *European Social Survey*, sobre os arranjos familiares em 2002, envolvendo os países escandinavos, do norte, centro, sul e alargamento europeu.

◆ Constatou-se que em países como:

◆ Na Noruega, Suécia, Finlândia e Dinamarca, havia mais casais sem filhos, solteiros vivendo sozinhos e jovens saindo cedo da casa dos pais; além de um alto índice de mulheres trabalhando fora de casa; enquanto

◆ Alemanha e Reino Unido possuíam baixo índice de fecundidade e mulheres investindo na carreira profissional e nos estudos;

◆ Eslovênia e Luxemburgo apresentavam a menor quantidade de pessoas entre 15 e 29 anos de idade e um alto índice de idosos; e

◆ Itália, Espanha, Portugal e Grécia tinham a taxa mais baixa de fecundidade: 1,33 filhos por mulher.[62]

Mas qual seria o motivo dos casais não terem filhos nesses países tão desenvolvidos?

Mesmo com os incentivos do governo, os casais ainda não veem os subsídios oferecidos como atrativos. Com um alto custo de vida europeu, as mulheres preferem trabalhar fora e ficar mais tempo estudando do que ter gastos com os filhos, moradia e alimentação, o que inviabilizaria ao casal manter seu padrão de vida na Europa.

A crise financeira atual de alguns países europeus tem provocado medo e inquietação pelo futuro da Comunidade Europeia.

Nos países do continente europeu, em que a tradição cultural e a formação escolar são mantidas, o interesse por filhos diminuiu durante os anos. A população acabou tendo uma ampla variedade de divertimento e cultura e voltou-se para as atividades que são consideradas individuais, como: leitura, cursos, dedicação às atividades físicas para idosos etc.

Mas não é apenas na Europa que a taxa de fecundidade entre as mulheres é baixa.

- ◆ No Chile, por exemplo, são 1,93 nascimentos por mulher[63].
- ◆ No Japão, quase metade das mulheres não têm filhos.
- ◆ Na Rússia, onde a taxa de fecundidade é baixa, a punição para os casais que não têm filhos está sendo discutida.
- ◆ Na China, o governo que restringiu a procriação a partir de 1979 está preocupado com o envelhecimento da população.
- ◆ Nos Estados Unidos, o número de casais sem filhos tem aumentado.
- ◆ No Canadá, onde a associação No Kidding foi fundada, a quantidade de crianças tem diminuído nas famílias, enquanto a expectativa de vida entre os idosos tem aumentado.

Há uma tendência dos países em desenvolvimento, como o Brasil, a seguir o caminho dos países desenvolvidos.

O cenário sobre a diminuição de filhos e o aumento de idosos em uma parte do mundo não é confortável para os países que vivem essa realidade: eles têm déficit financeiro na previdência social, precisam de jovens profissionais que produzam no mercado de trabalho e necessitam de homens nas forças de segurança da nação.

O professor Celso acredita que na sociedade brasileira, a questão dos movimentos sociais sobre casais e solteiros sem filhos tem outra conotação política, diferente da europeia:

"A opção de ter ou não filhos acredito ser mais de fórum individual do que resultado de reflexão de parâmetro social ou institucional. Como movimento social, as criações contemporâneas historicamente ocorrem nas sociedades que desenvolveram uma dinâmica de participação social dos cidadãos mais efetiva nos problemas públicos e em suas instituições políticas e de classe. Essa não é uma realidade da sociedade brasileira. Mesmo os que estão incluídos economicamente na classe média não têm culturalmente essa participação mais efetiva na sociedade e em suas instituições. Esse pode ser um dos elementos de referência para a dificuldade de novos movimentos sociais serem discutidos pela nossa sociedade, como o movimento canadense No Kidding, por exemplo."

O quadro dos países com menor número de crianças configurou-se após a década de 1960, formando um novo cenário social, em que a batalha para a procriação nesses países em crise não é feita por armas e balas, mas por contraceptivos, crenças e valores dos casais.

O Brasil, em 2010, tinha 14 milhões de pessoas com mais de 65 anos, enquanto havia 13 milhões e 800 mil crianças. Em 2050, para cada 100 crianças de 0 a 14 anos de idade, existirão 172,7 idosos[64].

É uma mudança cultural, e já estamos entrando nela!

Quando perguntamos a M.S., professor e cenógrafo de 45 anos, sobre os motivos que o levaram a não ter filhos, ele respondeu simplesmente: "Nunca pensei nisso". Quer dizer, "filhos" sequer chegou a ser um tema entre as suas preocupações. Talvez ele esteja entre as pessoas que ultrapassaram a ideia de que um filho é fundamental, ideia para ele tão profundamente ultrapassada que sequer chegou a ser cogitada.

Para Babatunde Osotimehin, essa mudança na expectativa sobre ter filhos acompanha a consciência dos problemas do mundo atual e é a tendência do futuro, cujos adultos atuais que fizeram a opção por não ter filhos preparam o terreno, e essa é uma decisão ao mesmo tempo existencial e política:

"Em qualquer país que você vá, tanto desenvolvido como em desenvolvimento, as questões de acesso justo aos recursos são aquelas com as quais sempre nos confrontamos, especialmente entre os jovens (...). Da Primavera Árabe aos acampamentos em Wall Street, as pessoas estão pedindo mudanças. Elas são jovens, parte da mais jovem geração que o mundo conheceu, e elas são determinadas".[65]

Nossos filhos terão filhos?
Ops! Esquecemos que era para ter filhos...

Zero! Zero! Zero!

Em cinquenta anos, poucas mulheres desejarão ter filhos no Brasil[66].

Letícia, dançarina de 40 anos, é uma delas. Nunca colocou filhos como prioridade entre suas ambições adultas:

"Nunca tive o modelo 'casar e ter filhos' entre as coisas que eu mais queria na vida. Mesmo assim, tive uma relação estável de 13 anos e cogitávamos ter filhos, mas sempre adiávamos o plano por questões profissionais. Com a separação e uma nova união estável que já dura 7 anos, a questão de ter ou não ter filhos se impôs de forma mais clara, uma vez que eu já estava mais velha e sofrendo pressão de família, amigos e até do meu ginecologista! Eu e meu companheiro pensamos muito juntos e chegamos à conclusão de que realmente não queremos ter filhos. Não vemos espaço para crianças no nosso estilo de vida, apesar de adorá-las e nos darmos muito bem com os sobrinhos e filhos de amigos. Além disso, não gostamos nada de como o mundo está para colocar outra pessoa nele."

Com todas as questões que tratamos nos capítulos anteriores sobre os casais *chidfree* e os solteiros sem filhos relacionados aos motivos abordados por eles para não terem filhos, procriar no futuro não será tão importante como é hoje. A decisão de ter ou não filhos estará dividida entre tantas outras questões. A experiência da maternidade e paternidade terá menor prioridade frente ao novo cenário social e econômico que se desenha nas diferentes culturas no mundo.

O relatório de 2010 da Organização das Nações Unidas apontou que existem dois bilhões de internautas e cinco bilhões e trezentas mil assinaturas de celulares, atendendo aos sete bilhões de habitantes no planeta.

A conexão global e o desenvolvimento tecnológico derrubaram fronteiras culturais, aproximando os diferentes modos de vida, tanto das comunidades locais como dos povos.

Vimos que, a partir do século XXI, o mundo globalizado e a era digital criaram interações nunca imaginadas entre as pessoas, ampliaram a comunicação com equipamentos portáteis e propiciaram a mobilidade dos usuários sem a necessidade do deslocamento físico.

É a chamada "Era do Toque", do controle remoto, da conexão imediata, sem limites de espaço, para o lugar ao qual desejamos ir e quando queremos estar lá.

A geração de jovens com menos de vinte anos de idade, que lidera esse movimento mundial, tem nos colocado à frente do tempo, nos passos largos do desenvolvimento social.

Com um modo de vida pragmático, as garotas e os garotos antenados com os acontecimentos do mundo criaram tribos modernas nas comunidades virtuais conectadas em rede, e nelas uma nova forma de revolução e democracia está sendo construída. Manifestações acontecerem no final de 2010 e início de 2011 em diferentes países do Norte da África e do Oriente Médio. Jovens que assistiram aos vídeos postados na rede social e trocavam informações pela internet e por celulares foram às ruas em sinal de protesto contra a pobreza, a repressão e a falta dos direitos humanos.

A Tunísia viu a queda do seu ditador Zine al-Abdine Ben-Ali e o Egito, o fim dos trinta anos do governo de Hosni Mubarak. As manifestações populares foram iniciadas pelos jovens, que, com os celulares nas mãos e trocando mensagens nas redes sociais, paralisaram ambos os países com o restante da população. Aconteceram também protestos na Líbia, contra o governo de Muamar Kadafi; depois, foi a vez de Marrocos, Iraque, Irã, Iêmem e Cisjordânia, todos inspirados nos modelos da Tunísia e do Egito.

Há vinte e sete anos, o Brasil viveu um movimento civil chamado Diretas Já. Reivindicavam-se eleições diretas para presidente da República pelo cidadão.

Na época, não havia o sistema de comunicação digital e nem as redes sociais; era mais difícil reunir as pessoas para protestarem contra a ditadura. A divulgação do movimento dependia dos jornais, revistas, televisão e rádio, mas nem todos conseguiam cumprir com seu papel.

Em 1984, o povo brasileiro não conquistou o direito do voto direto e apenas alguns veículos de comunicação fizeram menção ao fato, porque a censura adotava a linha dura contra a imprensa. Depois de cinco anos, a reabertura democrática no país aconteceu e finalmente o cidadão pôde eleger com voto direto um Presidente da República.

Os jovens do século XXI conquistaram um imenso poder e uma maneira eficaz de fazer política, ainda que os meios digitais estejam sujeitos à censura; como no caso da China, onde, durante uma campanha lançada na internet em defesa dos direitos humanos, o governo teria coibido as mensagens de textos de celulares e das redes sociais, temendo que a repercussão tomasse proporções parecidas com o que houve nos países do Oriente Médio e Norte da África.

Então, frente às mudanças sociais e políticas na cultura, inclusive no Brasil, quem é essa geração que responderá pelo mundo nos próximos anos?

Um jovem de 13 anos de idade, situação financeira precária e com acesso restrito à tecnologia nos disse: "Da primeira vez que joguei no computador achei legal, queria jogar todo dia se pudesse".

Eles são jovens, nasceram no mundo da tecnologia, estão conectados aos meios digitais, possuem amplo acesso às informações e inúmeros amigos no universo virtual, adquiriram maiores responsabilidades com relação ao meio ambiente e à ética e uma parcela considerável irá adotar um estilo de vida sem filhos, neste momento questionando a maternidade e a paternidade. O que indica a tendência da diminuição do índice de fertilidade do Brasil nos próximos anos.

Não se trata apenas de uma geração de jovens, mas da continuidade da existência humana e como ela vai decidir seu destino.

No Brasil, a realidade de computadores e celulares não é acessível a todas as pessoas, principalmente àquelas que vivem em condições precárias de subsistência e nunca navegaram na internet. Isso é uma realidade.

Porém, o que nós esquecemos é que todos, sem exceção, vivem na Cultura do Digital. E, quando se está em uma cultura, independente de eu saber apertar o botão do computador, eu estou nela. Posso até estar alienado à cultura, mas de alguma forma faço parte dela.

O mundo digital está presente desde a televisão em casa até o acesso ao caixa eletrônico do banco, do registro das consultas médicas ao sistema de código de barras no supermercado. Por mais que eu não tenha acesso a um telefone celular, estarei inserido de uma maneira ou de outra na tecnologia.

Mesmo quem está abaixo da linha de pobreza (e não são poucos) vive no mundo digital: basta ligar do orelhão na rua para alguém ou passar o cartão de crédito e pronto, está conectado.

Os adolescentes e crianças que possuem condições financeiras e ganham dos pais o celular e *notebook* ou estudam em uma escola que reserva sala com internet, sentem-se íntimos nesse ambiente.

R.G.S., de 17 anos, estudante do último, no ensino médio, percebe que as aulas são mais interessantes quando envolvem internet e os meios eletrônicos.

"Passo parte do dia nas redes sociais com meus amigos, navegando. Pesquiso muita coisa da escola na internet. Também procuro por jogos e novos lançamentos eletrônicos que estão sempre surgindo para ficar atualizado."

Afinal, eles são filhos do digital.

E mesmo quem é criança ou jovem e pela primeira vez acessou um equipamento eletrônico sente um imenso prazer com a tecnologia.

A forma lúdica, descontraída, como a tecnologia se apresenta atrai o público jovem, tanto pelos jogos que se encontram em *software* e na internet como pelas funções dos programas em celulares.

A tecnologia é como uma criança que brinca com outra criança e conversa com o adolescente.

> Essa geração avaliará, na idade adulta, a possibilidade de ter ou não filhos e em quais condições isso acontecerá.

Nas camadas sociais em que há melhores condições financeiras e acesso aos equipamentos de tecnologia, os pré-adolescentes e adolescentes conversam entre si sobre vários assuntos, quase que instantaneamente. Tudo é tema para dar opinião, como um imenso mosaico de imagens e palavras construídas.

O que aconteceu e o que acontecerá apenas tem valor se você não perder a informação; o que torna essa geração impaciente e imediatista, trazendo pouco vínculo com o passado.

Certa vez, um adolescente nos disse que a realidade dele estava no presente, e nada mais importava. Para essa geração, discutir o futuro, se terá ou não filhos, por exemplo, defenderá no que acontece neste momento.

"Quantas crianças nasceram hoje no planeta? Se eu não souber agora, amanhã a notícia desaparece e será substituída por outra e eu estarei desinformado, fora do mundo."

O tempo é o instante em que todos estão conectados à rede mundial e as informações criam um cenário da realidade a cada segundo.

> A ideia de futuro não é a mesma das gerações passadas. Para os jovens, não há futuro, não há passado; o tempo é este momento em que estou conectado com meus amigos, sendo que o mundo se transforma em grande velocidade.

A informação é substituída na internet pelas páginas dos jornais *on-line* de uma hora para outra. Você mal termina de ler a matéria e a informação é trocada.

Seria possível para essa geração acreditar que ela tem futuro?

Navegando pela internet, descobrimos alguns pais que postam mensagens com dúvidas a respeito do futuro de seus filhos: "Haverá emprego para meu filho?"; "O mundo será mais seguro?"; "As crianças terão água potável?; Eles terão uma boa educação?".

Pensar em ter filhos é pensar no futuro. A nova geração tem ao seu lado o "agora", a tecnologia, o mundo globalizado e o acesso indefinido às informações. Para ela, o futuro não está presente em seu mundo imediatista.

A ideia de filhos é uma projeção, não uma realidade do presente.

O que há de mais próximo fora de casa são as pessoas que vivem na comunidade virtual, que os jovens da nova geração conhecem, desde os amigos mais íntimos aos desconhecidos que são aderidos à lista virtual de novos amigos.

O mundo para esses jovens tornou-se uma casa com várias janelas e portas abertas, por onde as pessoas atravessam os ambientes.

Os celulares e as redes sociais são as mídias que mais reúnem pessoas, formando amigos em *sites* de relacionamentos e aproximando usuários nos ambientes virtuais.

Muitas pessoas encontram-se habitualmente na rede, falam de seu cotidiano, trocam experiências, postam imagens e mensagens, convidam outras pessoas para eventos; enfim, é uma imensa comunidade que subsiste no digital.

Se, por um lado, o usuário fica sozinho diante da máquina; por outro, ele está se socializando ao participar dessas comunidades. Ao mesmo tempo em que ele se isola, mantém relações com outros usuários.

Pela primeira vez na história, o homem está só e reunido em grupo simultaneamente. É um duplo fenômeno social.

Se as décadas de 1960 e 1970 criaram as comunidades, as décadas de 1980 e 1990 instituíram a individualidade.

No século XXI, a nova geração se comporta socialmente em ambas as situações: coletiva e individual.

De que forma a nova geração estará presente com seus filhos, se ela tem na cultura do digital os relacionamentos virtuais?

Jaqueline, 21 anos, defende que

"(...) deve haver mais respeito, menos violência e mais amor no mundo. Todos terão de aprender a viver sem preconceitos e sem mentira, independente de o mundo ser virtual ou não. O mundo é o mesmo para todos. Nós fazemos o mundo como quisermos".

Se essa geração tiver filhos, terá que criar outra maneira de se relacionar, uma cultura familiar que não implique a presença, mas o relacionamento. O valor da relação seria em compartilhar a vida, inserindo os filhos nessa realidade virtual, ou manter-se tão presente que o trabalho seja feito na própria casa, para não se afastarem dos filhos como fizeram seus pais.

De qualquer modo, essa decisão está nas crenças e anseios individuais, mas desde que seja real, no sentido de verdadeiro, de relacionamentos mais humanos e éticos.

Quando essa geração de jovens marca um evento pela internet e celular, encontrando amigos em um espaço físico e transmitindo pela rede os acontecimentos naquele lugar em tempo real, ela acredita que o evento está dividido em dois mundos: real e virtual.

Por isso, a presença física e a presença virtual são importantes para esses jovens. A realidade para eles implica essas duas presenças, o que não seria diferente para constituir família; o que importa é o nível de relacionamento criado.

O estudante R.G.S., de 17 anos, que mora com os pais, observa:

"Se não posso ir à 'balada', alguém manda um torpedo avisando e fico ligado no computador ou no celular. Acompanho em tempo real as meninas e meus amigos na 'balada'. Tudo o que acontece ali eu fico sabendo. É como se eu estivesse lá."

Mas nada garante que a nova geração terá filhos.

Quando perguntamos ao adolescente R.G.S. se ele havia pensado em ter uma família no futuro, respondeu: "Nunca pensei nisso. Meus interesses são diferentes, ano que vem presto vestibular (...)".

Cada vez mais, o interesse por filhos tem diminuído, não apenas porque os dados estatísticos do IBGE indicam essa perspectiva. Contudo, a tendência de comportamento dos jovens indica um maior descompromisso com o valor da maternidade e paternidade, pelos motivos aqui apresentados sobre violência, dificuldades financeiras, prazer individual, tempo livre, investimento na carreira profissional, formação escolar e outros. Há também a experiência negativa da separação dos pais, de viver em um ambiente hostil e conflituoso na casa, conviver pouco com os familiares que trabalham fora e estar em um lar menos estruturado afetivamente.

Esses problemas de histórico familiar e as questões da crise mundial financeira e social podem tornar inviável à nova geração decidir por ter filhos.

Talvez o mais importante não seja discutir o número de filhos por casais, que está diminuindo a cada ano, mas olhar para o tipo de sociedade que estamos construindo e os filhos que estamos criando.

Hoje, os casais no estilo de vida *childfree* e solteiros sem filhos por opção constituíram-se em uma realidade que ninguém poderia imaginar, e a nova geração de jovens está criando um mundo com mais comunidades do que qualquer época havia registrado na história.

Tantas mudanças apontam para uma realidade que emoldura o quadro social contemporâneo, que nos dá pistas sobre o futuro do mundo mais consciente que pretendemos construir.

Com sete bilhões de pessoas no planeta, é o momento de parar para uma reflexão sobre o mundo em que estamos vivendo. Não apenas pensar na questão do espaço físico, mas lembrar dos escassos recursos naturais, da qualidade de vida, da ética e estética humana, dos valores que construímos e outros que destruímos.

Pensar olhando para a frente, para o alto e para os lados.

Pensar que podemos diminuir o número de filhos e aumentar a qualidade de vida. Não que iremos deixar de procriar completamente ou não veremos uma criança na cidade. Ao contrário, sempre haverá crianças, talvez em menor número, mas haverá.

Pensar e agir para um projeto de vida mais digno, tranquilo, zelando pela preservação da vida que é o planeta e da ética e estética que são a sociedade. Não ter filhos ou diminuir o número de filhos é uma decisão política. É um olhar que ultrapassa o desejo pessoal. É um olhar que enxerga o mundo como um todo, na sua inocência e maturidade.

Pensar e ver as crianças nascerem em um mundo mais justo e equilibrado, sem os sentimentos de medo, culpa e avareza que, infelizmente, ainda vemos.

Pensar e descobrir que a família é o lugar mais bonito, nobre, seguro, repleto de afetos, e que não encontraremos, no mundo nem em outro lugar, algo como a família.

E, como diz a música: "O melhor lugar do mundo é aqui e agora!".

posfácio

POSFÁCIO

Uma mãe procura a psicóloga, aflita e preocupada. Recebeu da escola um pedido de encaminhamento para o filho, sete anos apenas, com dificuldades de aprendizagem. Ele é uma graça, mas não para quieto. Chora por qualquer coisa; a mãe já não sabe mais o que fazer. Chegou a levar a criança a um psicólogo que, depois de algumas sessões, disse a ela: "a dinâmica familiar anda um pouco complicada, não anda? Com o casamento dos pais indo tão mal e sem a possibilidade de se conversar sobre isso, a criança tem que ocupar o papel de não saber, não entender, não é mesmo?" A mãe até concordou com o diagnóstico, mas o pai não acredita em psicólogos e disse que terapia de casal nem pensar! Então ela vem procurar uma segunda opinião, alguém que se encarregue de resolver, e logo, o problema da criança, quem sabe?

Próximo paciente. Um homem, 41 anos. Acabou de nascer um filho, fruto de seu segundo casamento. Com a primeira esposa já tivera uma menina, de cinco anos, que agora se recusa a ir à maternidade conhecer o irmão – ou seria meio-irmão? Alguma dica de como proceder nessas situações? A irmã do homem disse a ele que é para não insistir, mas do que ela sabe? Essa mulher resolveu que não quer casar e nem ter filhos, nunca. A família está chocada, mas até que ela tem juízo...

Chega a paciente seguinte. Uma menina, nove anos, com dificuldades de relacionamento com as crianças da escola. Os pais, divorciados, brigam na Justiça pela sua guarda. A mãe casou-se novamente, mas com uma mulher. O pai não aceita a situação. Em meio ao litígio, a criança só procura um espacinho para poder ser criança...

Hora de almoço. A psicóloga vai almoçar com três colegas. O tempo é curto – horas de almoço costumam ser bem requisitadas nos consultórios de psicologia – mas a conversa é boa e animada. Uma delas conta do final de semana em família. Que delícia de passeio. Os pais orgulhosos levaram as duas crianças para um hotel fazenda a fim de comemorar o fato de que o filho mais velho ganhou o torneio de tênis do clube. Diversão em família na maior parte do tempo. As crianças curtiram os monitores e o casal pôde aproveitar e até namorar um pouco. A outra colega, casada e sem filhos por opção, acabou de voltar das tão planejadas férias com o marido. Ah, a Ásia... Índia, Japão e China, tudo tão diferente, encantador. Já começaram a planejar a viagem do ano que vem. Turquia? A terceira mulher discutiu com o marido, coisa séria, está preocupada. Bem agora que ela estava pensando em engravidar? O casamento não vai bem, e ela sabe muito bem que a chegada de um bebê desestabiliza a relação de vários casais e que faz crescer a insatisfação. Por outro lado, não quer esperar para ser mãe depois dos 35 anos. O tempo se esgota... Hora de voltar ao consultório.

Chega uma moça solteira, 29 anos, que procura meios de ter um filho de forma independente. Marido, depois de tantas decepções? Para quê? Mas um filho, ah, disso ela faz questão. Dizem que nenhuma mulher se realiza como mulher sem ter um filho. São tantos os questionamentos...

Último cliente do dia. Trata-se de um paciente novo. O que virá?

Essas são apenas algumas vinhetas, livremente inspiradas em casos reais, clínicos ou não. Bastante resumidas, somente enunciam a complexidade de cada uma das situações. Nelas podemos perceber a diversidade de configurações familiares que se apresenta na atualidade, seja entre a população em geral, seja, mais especificamente, nos consultórios de psicologia, onde se escancaram os sofrimentos inerentes a cada uma delas.

A família transforma-se rapidamente, embora a assimilação das novas formas de ser família da época contemporânea se dê muitas vezes de forma lenta e gradual, carregada de preconceitos. Hoje as famílias não se reduzem apenas à configuração casal com filhos, embora esta seja predominante. Elas são reconstituídas, monoparentais, homoafetivas. E essas novas configurações, cada vez mais, englobam o grupo dos casais e das pessoas solteiras e sem filhos por opção. Para que cada uma dessas formas alcance legitimidade, é imprescindível que se fale sobre elas, que o assunto venha à tona e que possa ser encarado, explicitado e discutido por toda a sociedade.

É isso que fazem Edson Fernandes e Margareth Moura Lacerda no livro *Sem filhos por opção: casais, solteiros e muitas razões para não ter filhos*. Posicionando-se claramente em favor da ausência voluntária de filhos, reúnem, de forma cuidadosa, argumentos e dados dos mais diversos âmbitos para embasar tal escolha. Provam que, ao contrário daquilo que uma visão social carregada de estigmas sugere, é possível alcançar uma vida plena e significativa sem filhos. Dentre as tantas possibilidades de projetos e realizações que a pós-modernidade oferece, casamento e filhos passam de destino a opção e, muitas vezes, acabam por não valer a pena para muitas pessoas. Os autores mostram a abrangência e a importância dessa parcela da população no Brasil e no restante do mundo, algo que tem efeitos nos campos social, econômico e político.

Como qualquer escolha, a opção pela não maternidade/não paternidade envolve ambivalências e aspectos de ordem financeira, social e psicológica, tanto conscientes como inconscientes, que podem ser influenciados por experiências prévias, pelas histórias de vida nas famílias de origem, pelo tipo de vínculo estabelecido entre os casais, entre tantos outros determinantes. "Ter" ou "não ter" filhos não é *em* si fonte de sofrimento. O que se mostra de fato relevante são as possibilidades de se estabelecer projetos com clareza, da forma mais consciente e livre de conflitos possível, e de concretizá-los ou não. É enorme, por exemplo, a angústia de um casal que quer ter filhos e tem de lidar com a infertilidade, assim como uma gravidez não desejada – ou mesmo aquela que é desejada e planejada, mas, ao mesmo tempo, carregada de conflitos não elaborados – pode ter efeitos devastadores na vida de casais e de crianças. Por outro lado, pesquisas tendem a mostrar maiores índices de satisfação entre os casais que desejam e têm filhos e principalmente entre aqueles que optam por não ter filhos e que de fato não os tem. *Sem filhos por opção: casais, solteiros e muitas razões para não ter filhos* mostra muitos dos motivos pelos quais isso acontece.

Com maiores ou menores níveis de ambivalência, dependendo de cada caso, o fato é que a ausência voluntária de filhos aparece como um fenômeno de destaque em nossa sociedade, pleiteando e merecendo reconhecimento social e o fim do preconceito. Pessoas que escolhem não ter filhos podem ser psicologicamente saudáveis como quaisquer outras, lembrando sempre que saúde, em Psicologia, não se caracteriza apenas pela ausência de doença, de psiconeurose, de sofrimentos ou de ambivalências. Saúde significa uma maturidade relativa à idade do indivíduo, à possibilidade de criatividade, de integração, de se sentir real, de se adquirir um senso de *self* e um senso de ser. E tudo isso, com certeza, não é um filho que garante...

E que se escreva sobre o assunto, que ele repercuta, que se converse sobre ele. Filhos não são os únicos frutos que os casais podem dar. Esse livro é um ótimo exemplo disso!

Maria G. Rios-Lima
Psicóloga, Mestre e Doutora em Psicologia Clínica pela
Universidade de São Paulo (USP)

Notas e citações

1. Segundo a síntese de indicadores sociais de 2009 do IBGE, o Brasil possuía cerca de 39,6 milhões de casais em 2008, e o percentual de casais sem filhos era de 16,7%; em 2009, passou para 17,1%; nos próximos anos, o IBGE prevê uma tendência de crescimento do número de casais sem filhos. No que diz respeito às estatísticas oficiais, os dados fornecidos pelo IBGE, provenientes das PNADs (Pesquisa Nacional por Amostragem de Domicílios), utilizando a nomenclatura "casais sem filhos" para designar "casais que não moram com os filhos", ou seja, englobam na mesma categoria: casais com filhos que moram em outros domicílios, casais jovens sem filhos que os desejam no futuro, casais sem filhos por infertilidade e os casais sem filhos por opção. Não há uma pesquisa governamental com filtro refinado apenas para "casais sem filhos por opção".
2. Dados do IBGE (2009).
3. Dados do IBGE, Censo de 2010, índice de mulheres que não querem engravidar e taxa de fecundidade.
4. BARROS, L. F. W; ALVES, J. E. D; CAVENAGHI, S. *Novos arranjos domiciliares: condições sócio-econômicas dos casais de dupla renda sem filhos (DINC)*. Anais do XVI Encontro Nacional de Estudos Populacionais, Caxambu, 2008. Disponível em http://www.abep.org.br/usuario/GerenciaNavegacao.php?caderno_id=504&nível=1. Acesso em 13.11.2011.
5. Disponível em http://www.youtube.com/watch?v=nojWJ6-XmeQ. Acesso em 14.11.2011.
6. Dados do IBGE (2004).
7. Revista *Newsweek* (2007)
8. Dados do IBGE (2009).
9. Dados do IBGE (2009).
10. Pesquisa Nacional por Amostra de Domicílios (PNAD), IBGE (2009). Há um projeto de lei tramitando no Congresso Nacional, em Brasília, sobre a equiparação do salário das mulheres que atuam nos mesmos cargos e funções com relação ao salário dos homens.
11. Levantamento da Great Place to Work Institute Brasil (2010).
12. Apesar do aumento da colaboração masculina nos afazeres domésticos, as mulheres dedicam mais tempo cuidando da casa. No arranjo casal sem filhos, a mulher gasta 26,7 horas semanais com as atividades domésticas, enquanto o homem gasta 10,2 horas. No arranjo casal com filhos menores de 14 anos, a mulher gasta 29 horas enquanto o homem gasta 9,5 horas semanais. Dados do IBGE (2005).

13. BADINTER, E. *Le conflit: la femme et la mère*. Paris, Flammarion, 2010.
14. Instituto de Pesquisa Econômica Aplicada (2009).
15. A África tem 1 bilhão de habitantes e a China, 1,3 bilhão, totalizando 35% da população mundial. Fonte: Population Reference Bureau (PRB), (2009).
16. Associação Brasileira das Empresas de Limpeza Pública e Resíduos Especiais (Abrelpe), 2005.
17. Entrevista coletiva concedia em Londres sobre as consequências da marca de 7 bilhões da população mundial, alcançada em outubro de 2011. Disponível em http://pessoarsivo.blogspot.com. Acesso 14.11.2011.
18. LINS, R. N. *A cama na varanda*. Rio de Janeiro, Best Seller, 2007. A autora retrata o amor e o casamento, a maneira como homem e mulher se relacionaram através dos tempos, suas tradições e as mudanças culturais e religiosas na evolução social.
19. RIOS, M. G. *Casais sem filhos por opção: análise psicanalítica através de entrevistas e TAT*. Dissertação de Mestrado em Psicologia da Universidade de São Paulo. São Paulo, 2007, p. 23.
20. RIOS, M. G. Op. Cit., p. 27.
21. Mensagens com amor. Disponível em http://www.mensagenscomamor.com/frases_de_maes.htm. Acesso em 15.09.2011.
22. BADINTER, E. *Um amor conquistado: o mito do amor materno*. Rio de Janeiro, Ed. Nova Fronteira, 1985. A autora e pesquisadora E. Badinter possui vasta publicação sobre o tema do mito do amor materno. Citamos a obra que serviu de referência para este capítulo.
23. Dados do IBGE (2011).
24. Anuário do Dieese (2009).
25. GOLDANI, A. M. *As famílias no Brasil contemporâneo e o mito da desestruturação*. Publicação no Instituto de Estudos de Gênero. Disponível em http://www.ieg.ufsc.br/admin/downloads/artigos/03112009--103208goldani.pdf. Em 2009. Acesso 15.07.2011.
26. GOLDANI, A. M. Op. Cit.
27. GOLDANI, A. M. Op. Cit
28. GOLDANI, A. M. Op. Cit.
29. Dados do IBGE (1998).
30. Dados do IBGE (2010).
31. Dados do IBGE (2008).
32. Dados do IBGE (2010).
33. Entrevista coletiva concedia em Londres sobre as consequências da marca de 7 bilhões da população mundial, alcançada em outubro de 2011. Disponível em http://pessoarsivo.blogspot.com. Acesso em 14.11.2011.
34. Dados do IBGE (2009).
35. Dados do IBGE (2007).
36. Dados do IBGE (2007).
37. Dados do IBGE (2010).
38. BORGES, F. C. *A mulher do pai*. São Paulo, Summus Editorial, 2007.

39. Dados do IBGE (2011). O restante dos dados do quadro têm como fonte o IBGE em diferentes períodos.
40. Pesquisa Nacional de Amostras de Domicílios realizada pelo IBGE entre 1º de outubro de 2008 e 26 de setembro de 2009.
41. Dados do IBGE (2010).
42. Dados do IBGE (2009).
43. Dados do IBGE (2008).
44. Dados do IBGE (2009).
45. Dados do IBGE (2010).
46. Instituto de Pesquisa Data Popular (2011).
47. Dados levantados da pesquisa Observador (2011).
48. Dados fornecidos pela Organização para a Cooperação e o Desenvolvimento Econômico (2010).
49. RIOS, M. G; GOMES, I. C. *Estigmatização e conjugabilidade em casais sem filhos por opção.* Psicologia em Estudo (impresso), v. 14, pp. 311-19, 209.
50. GOUVEIA, V. *A natureza motivacional dos valores humanos: evidências acerca de uma nova tipologia.* Disponível em http://redayc.uaemex.mx/pdf/261/26180310.pdf. Estudos de psicologia, Universidade Federal do Rio Grande do Norte, 2003, 8 (3), pp. 431-43, 2003.
51. Dados da Consultoria GS&MD (2011).
52. Dados da Media Mark Research (2002).
53. Levantamento da U.S. Census Bureau (2000).
54. Dados do Instituto de Pesquisa Econômica Aplicada (2010).
55. Dados do Instituto Alana, de São Paulo (2007).
56. IBGE – InterScience (2003).
57. Empresa inglesa TNS Research International (2009).
58. Planalto do Governo. Estatuto da Criança e do Adolescente. Disponível em http://www.planalto.gov.br/ccivil_03/leis/L8069.htm. Acesso em 05.09.2011.
59. Entrevista coletiva concedia em Londres sobre as consequências da marca de 7 bilhões da população mundial, alcançada em outubro de 2011. Disponível em http://pessoarsivo.blogspot.com. Acesso 14.11.2011.
60. Instituto Max Planck de Rostock (2007).
61. Instituto Nacional de Estatística (2007).
62. TORRES, A. e outros. *Famílias no contexto europeu: alguns dados recentes do European Social Survey.* Atas dos ateliers do V Congresso Português de Sociologia, 2004.
63. Indicadores do Desenvolvimento Mundial (2009).
64. Dados e projeção do IBGE (2010).
65. Entrevista coletiva concedia em Londres sobre as consequências da marca de 7 bilhões da população mundial, alcançada em outubro de 2011. Disponível em http://pessoarsivo.blogspot.com. Acesso em 14.11.2011.
66. Dados de previsão do IBGE (2010).